KU-067-716

365 історій на ніч

Авторизований переклад
з французької
Віри Наливаної

Країна мрій
видавництво

УДК 82-34
ББК84.4
Т68

Т68 **365** історій на ніч / Авториз. пер. з фр. В. Наливаної. —
К. : Країна Мрій, 2009. — 192 с. : іл. — (Серія «Золоті казки»).

ISBN 978-966-424-142-4

Ця книга стане найкращим подарунком для вашого малюка! Протягом року ви щодня зможете прочитати йому нову історію про неймовірні пригоди добрих і привітних звірят.
Діти познайомляться з веселими зайцями, побувають на пташиному дворі, сходять до школи з лисеням та дізнаються, чому звірята іноді сумують та як розважаються!

Для дітей дошкільного віку.

УДК 82-34
ББК 84.4

Літературно-художнє видання

365 ІСТОРІЙ НА НІЧ

Відповідальний редактор *О. Донічева*
Авторизований переклад *В. Наливаної*
Літературний редактор *А. Кізлова*
Комп'ютерна верстка *Ю. Кузьменка*

ТОВ «Видавництво «Країна Мрій»
м. Київ, вул. Лугова, 9, тел./факс: +380 44 502 25 73
Електронна пошта: info@krajinamriy.com.ua
www.kmbooks.com.ua

Свідоцтво про внесення суб'єкта видавничої справи до Державного реєстру видавців, виготівників, розповсюджувачів видавничої продукції
ДК № 2077 від 27.01.2005

Ексклюзивним дистриб'ютором книжок видавництва «Країна Мрій»
є ТОВ «РДЦ «Ексмо-Україна»: м. Київ, пр-т Московський, 9б, офіс 6-101
тел. +380 44 495 79 80, факс +380 44 495 79 81
Електронна пошта: sale.ukr@eksmo.com.ua

Підписано до друку 20.02.2009. Формат 62x90/8.
Друк офсетний. Папір офсетний.
Умов. друк. арк. 24,72. Обл.-вид. арк. 19,9. Гарнітура «Шкільна»
Додатковий наклад 3 000. Замовлення № 0945.

Віддруковано згідно з наданим оригінал-макетом у ТОВ «Фактор-Друк»
61030, м. Харків, вул. Саратовська, 51, тел.: (057) 7-175-185

ISBN 978-280-069-335-4
ISBN 978-966-424-142-4

1 З Новим роком!

Що відбувається в лісі з самого ранку? Не чути ні тупотіння, ні шелесту крил, ані щебетання пташок. Геть нічогісінько! Але ж сонце вже зійшло! Звісно, це не величезна гаряча квітка, а невеличкий блідий кружечок, що видніється за хмарами...
— Здається, я знаю, чому така тиша! — вигукнула білка Руся, перестрибуючи з гілки на гілку. — Сьогодні перший день нового року! І, як завжди, всі сплять! А я ж так люблю, коли в лісі гамірно й весело... До того ж я маю для декого чудовий сюрприз...

2 Руся і Лео

Руся зістрибнула зі старої сосни й поквапилась до нори своїх друзів-кроликів. Забувши постукати, білка гукнула:

— Агов, друзі! Це я — Руся!
За мить із нори з'явилась мордочка кролика Лео.
— І чого б ото я галасував із самісінького ранку? Хочеш усіх розбудити? Ми ж усю ніч святкували Новий рік! — невдоволено пробурмотів кролик.
— Я приготувала вам сюрприз! — нетерпляче мовила білочка. — Ходімо, я тобі покажу...

3 Чудовий подарунок!

Лео був такий сонний, що ледве втрапив лапками у рукави свого пальтечка.
— Та не біжи так! — кролик не встигав за прудкою білкою. — А куди ми йдемо?
— До вашого нового дому! — відповіла білка.
Нарешті друзі прибігли до величезного дуба.
— Заходь, — запросила Руся, прочинивши важкі двері.
Лео зайшов усередину. Довгий коридор вів у величезну залу.
— Це вітальня, — радісно вигукнула білка, — а он там ще кімнати! Подобається?
Кролик просто очам не міг повірити. Поки вони вдома святкували Новий рік, Руся збудувала для них новий будинок з цілою купою кімнат!
— Біжімо до нас додому! Треба розповісти про це моїм братам і батькам! — заквапився кролик. — Як же чудово починається цей рік — тепер у нас є новий дім! Дякую.
Ось такий подарунок Руся зробила кроликам на Новий рік!

Спати хочеться!

Тут і Тот вже цілий тиждень сплять! Соньки, та й годі! Ще б пак — адже вони стільки часу були запряжені у сани Діда Мороза й разом із ним розвозили дітям подарунки. Всю новорічну ніч вони тягнули величезні сани!

Ніхто й не здогадується, чому Дід Мороз вибрав у помічники саме їх. А насправді все дуже просто. Чарівний дідусь вирішив зібрати біля своєї хатини усіх оленів, щоб вибрати найкращих. А зустріч призначив опівночі. З вікна своєї хатинки він спостерігав за оленями, що прибували звідусіль. Вони йшли дуже повільно, засинаючи на ходу. І не дивно — надворі ж була ніч! А Тут і Тот були такі жваві, аж підстрибували! Тож Дід Мороз обрав саме їх. Але іноді їм теж потрібно відпочити — тому вони й сплять так довго!

5 Каченя на льоду

Каченя Лу просто обожнює зиму. Та й не дивно — адже взимку можна скільки завгодно кататися на льоду!

— Мамо! — вигукнув Лу. — Ми з друзями хочемо влаштувати змагання з бігу!

— Гаразд, але будьте обережні — тут дуже слизько!

Лу і ще троє каченят стали в рядок. Мама-качка змахнула маленьким прапорцем — і всі щодуху побігли до калюжі, скутої кригою. Лу відразу обігнав решту каченят. Він біг дуже швидко, бо ж так хотів виграти! Але так розігнався, що на фініші не зміг зупинитись.

— Ура, я перший! — вигукнув Лу.

В цей час його лапки потрапили на лід і він поїхав через усю калюжу, як на ковзанах! Друзі Лу зареготали — такий смішний він був у ту мить!

6 Кожному своє

— Мамо, чому наді мною всі сміються? — питало в мами-свинки маленьке поросятко. — І кури, й качки, і навіть цуценята кажуть, що я бруднуля, бо качаюся в калюжах!

— Не переймайся цим, синку! Усі ми, свинки, любимо покачатися в багнюці, особливо коли надворі спека!

— Але ж мамо, я не хочу бути брудним!

І поросятко перестало качатися в калюжах. Воно стало рожевим і чистим-чистісіньким. Однак інші поросята зовсім перестали з ним гратися!

— Ти не справжнє порося! — казали вони.

Поросятку стало сумно й самотньо. А ще йому дуже дошкуляла спека. І от одного особливо спекотного дня порося не стрималось і побігло до калюжі.

— Ану, розійдись! — гукнуло воно й стрибнуло в багнюку. — Як же добре! — рохкало поросятко.

— От бачиш, синку, — мовила мама, — не треба зважати, коли хтось із тебе сміється. Одні тваринки риються в землі, інші вилазять на дерева. А ми, свині, любимо качатися в калюжах. Кожному своє.

7 Добривечір, місяцю!

Коли місяць на небі стає повним, вовки чарівного лісу приходять на квітучу галявину, щоб помилуватися ним. Повний місяць у зоряному небі такий гарний!

— Він ніби підморгує нам! — сказав вовк Сонько своєму приятелю Крутику.

Вони лягли і мовчки милувалися золотавим сяйвом.

А їхня зграя зібралась переселитися в інше місце, де буде краще полювання. Раптом усі помітили, що Сонька і Крутика немає!

— У-у-у! Соньку-у-у, Крутику-у-у, де ви? — завили вовки.

А Сонько і Крутик просто заснули на галявинці.

— Не будемо їх будити, — вирішили вовки і собі вляглися на м'якенькій травичці. За мить усі солодко спали. А нове місце вони знайдуть і вранці.

8 Апчхи!

Корова Зірочка зовсім не хотіла пастися на лужку — день був такий холодний, та й дощило весь ранок. Копита корівок аж вгрузали в землю!

— Апчхи! — чхнула Зірочка. І раптом вона зрозуміла, що треба робити:

— Давайте всі почнемо чхати, господар вирішить, що ми застудилися, відведе нас додому і там нагодує.

— Апчхи! Апчхи! Апчхи! — і всі корівки, як одна, почали чхати.

Пес Бровко, побачивши це, стрімголов побіг до господаря і привів його на луг, де чхали корови.

— Біднесенькі! — сказав господар.

— Я не хочу, щоб ви застудилися й захворіли, ходімо додому.

Корови дружно потупотіли до корівника й задоволено вляглися на запашному сіні.

— Гарно ти, Зірочко, придумала, — промукали вони. — Маленька хитрість — і ми в теплі гріємося! Частіше б так!

9 Півник Коко

Півник Коко сердився. Сусіди купили собі нового півня, а той починав кукурікати на дві години раніше, ніж Коко.

— Та зроби ж щось! — благали кури, які ніяк не могли виспатися. — Ти ж маєш показати, хто тут головний!

Коко нічого не лишилося, як піти до сусідів.

— Давай домовимося! — запропонував він сусідському півневі. — Або кукурікаємо через день — кожен у свій час, або щоранку, але в одну й ту ж годину! Вибирай!

Сусідський півень подумав, а потім відповів:

— Ні, я не хочу кукурікати через день. Я люблю співати й хочу всіх будити щодня. Тому давай будемо кукурікати водночас!

Відтоді всі півні кукурікають зранку майже в один і той самий час, а курям довелося звикати до нового графіка.

10 Коник Поло і конкурс краси

У маленькому селі щороку проводили конкурс краси серед коней. Але коник Поло жодного разу не міг його виграти.

— Мені так хочеться виграти цей конкурс... — зітхнув коник. — Треба принаймні спробувати.

Коник розчесав гриву, почистив шкуру і побіг на конкурс. Дорогою він помітив гарненьку конячку Інесу. Він поскакав до неї, щоб показатись їй у всій красі, але раптом посковзнувся і впав просто у багнюку!

— О, не переймайся! — втішила Інеса. — Я знаю лисицю, що живе тут неподалік, — вона зможе тобі допомогти!

Інеса відвела Поло до лисички, яка просто обожнювала поливати квіти. І, звісно, в неї був шланг для води! Лисиця змила з Поло весь бруд, і він весело пострибав на конкурс.

Щоправда, конкурс виграла Інеса, але Поло зовсім не засмутився — адже вони подружились і відтоді весь час проводили разом.

11 Свято в кролячій нірці

Бабаки Крак і Крок солодко спали у своїй нірці. Вони б спали аж до самої весни, якби не кролик Лео. Одного дня він голосно затарабанив у їхні двері.
— Гей, соньки! — гукнув він. — Ану прокидайтеся!
Крок ледве продер очі й буркнув:
— Ми хочемо спати! Надворі ще дуже холодно!
— Ще встигнете поспати! — відповів кролик. — Ввечері я святкую день народження — і до мене прийдуть усі друзі. Вас я також запрошую. Приходьте.
Бабаки ще ніколи так не веселилися — вони ласували солодощами, гралися, танцювали... Кролик Лео влаштував справжнє свято — звірята співали, відгадували загадки, навіть запускали повітряних зміїв! Тож Крак і Крок зовсім забули про сон — так весело їм було!

12 Канікули тата-бобра

І в дощ, і в спеку мама й тато бобри працюють на річці. Вони носять величезні гілки, аби загатити греблю і збудувати собі будиночок.
— Гарна в нас буде хатинка, правда ж? — сказав тато-бобер. — Зараз принесу ще одну гілку!
Тато-бобер так поспішав до річки, що перечепився за корінь старезного дерева, впав і забився.
— Ой-ой, як боляче! — застогнав бобер. — Навіть підвестися не можу!
Його дружина побігла до хатинки й знайшла там надувний матрац. Вона швиденько надула його й принесла до ріки.
— Лягай, любий, та відпочинь! А хатинку я й сама добудую!
Тато-бобер ліг на матрац і поплив на середину річки.
— Ох, як добре! Хоч раз у житті відпочину! — подумав тато-бобер. — Справжні канікули!

13 Доброго дня!

У лісі цього дня дуже гамірно! Всі тварини зібралися на щорічні збори.

— Добридень! — каже корова.

— Буенос діас! — вітається віслюк.

— Бонжур! — гукає собака.

— Гутен морген! — відповідає північний олень.

— Гуд морнінг! — нявкає ангорський кіт.

Маленька киця Мінні здивовано прислухається до всіх цих незрозумілих слів.

— Про що вони говорять? — запитала вона у мами.

— Вони вітаються, кожен своєю мовою! — відповіла мама.

— Які ж гарні ці вітання! — вигукнула Мінні. — Коли я виросту, то обов'язково подорожуватиму до різних країн і вивчу всі іноземні мови.

14 Пугу-пугу!

Вовченя Лупі цілісінький день гралося, бігало, стрибало — аж захекалось. А коли в лісі стемніло, Лупі раптом зрозумів, що заблукав і не знає, де його лігво. В лісі було темно-темнісінько, і бідне вовченя не бачило дороги.

— У-у-у-у-у! — завило вовченя. — Я не можу потрапити додому!

— Пугу-пугу! — озвався Чупі, нічний птах пугач, що сидів на гілці.

— У-у-у-у-у! А ти теж вовченя? — запитав Лупі.

— Ні. Я пугач. Але не бійся мене, ми можемо стати друзями! Лягай під деревом та спи — а я тебе охоронятиму. А вранці допоможу знайти дорогу додому.

Лупі спокійно вклався спати, а Чупі всю ніч світив жовтими очима й охороняв сон свого нового друга.

15 Поросятко, яке хотіло стати зеброю

— Ось рожеве порося! Ось рожеве порося! — постійно дражнилися із поросятка зебри.

Порося Порсі сердилось, дратувалось, навіть плакало — та все марно! Щойно зебри його десь бачили, як одразу ж починали співати свою пісеньку-дражнилку:

— Ось рожеве порося! Ось рожеве порося!

— Якщо хочеш, я можу намалювати на тобі чорні й білі смужки, як у зебр, — запропонувала його подружка Потсі. — Тоді ти зможеш із ними гратися, та й дражнитися вони не будуть.

Сказано — зроблено! Смугастий Порсі приєднався до зебр і навіть грався з ними. Але вони надто швидко бігали, а в нього були такі короткі ніжки!

— Пхи-и-и! — плакало бідненьке поросятко, якого покинули зовсім самого.

— Не плач! Насправді ти дуже гарне рожеве порося! І ніякі смуги тобі не потрібні! — втішила його Потсі.

16 Бідолашна мишка

Одного дня песик Маро зустрів мишку, яка несла на плечах вузлик із речами та їжею.

— Вирушаєш у подорож? — запитав у неї песик.

— Ой, не питай, друже... Моє життя на фермі стало просто нестерпним. Господар ненавидить мене! Я спробувала все — під'їдала на підлозі крихти, гризла старі непотрібні документи, щоб у хаті був порядок. Кілька разів я навіть вилазила на стіл, за яким він обідав, аби привітатися з ним! Але господар лише червонів од люті й ганявся за мною з величезною щіткою!

— Бідолашка! — скрушно похитав головою Маро.

— А сьогодні він мене просто допік — він приніс у дім кота! Ось цього вже я не терпітиму! Тому й покинула свого господаря — буде йому наука!

17 Голодний горобчик

Маленький горобчик узимку був постійно голодний.

— Хочу їсти! Хочу їсти! — цвірінькав він, сидячи на гілці товстезного дуба.

А білочка Руся спокійно спала в своєму дуплі. Однак горобчик таки розбудив її своїм цвіріньканням! Вона висунулася з дупла й гримнула:

— Ану, припини цей галас! Я спати хочу! До весни ще далеко, всі сплять!

— Я їсти хочу-у-у! — не вгавав горобчик.

Білка знову вилізла з теплого дупла й простягнула горобчикові жменьку зерна.

— Ось, тримай. Поїж та дай мені спокій!

Горобчик подзьобав усі зернятка й знову почав цвірінькати:

— Пити! Пити! Хочу пити!!!

18 Купатися!

Усі пінгвіни зібрались на купання.

— Купатися! Купатися! — весело наспівують вони й стрибають один за одним у воду.

А маленький пінгвін Пінні не хоче купатись:

— Я вже купався вчора! — обурюється він. — І я ще зовсім чистий! Та й холодно сьогодні!

— Пінні, не вигадуй! — гукає мама. — Ану, швиденько у воду!

— Не хочу! — пхинькає Пінні.

— Ой, он біжить білий вовк — хоче тебе з'їсти! — каже мама.

Пінні швиденько стрибає у воду й пливе якнайдалі він берега.

Усі пінгвіни весело сміються — вони розуміють, що це жарт, але мама все ж змусила неслухняного Пінні покупатися!

19 Хочу меду!

Білий-білісінький сніг укрив увесь ліс, і звірята давно вже солодко сплять. Тільки ведмежа ніяк не може заснути — усе перевертається з боку на бік. Звісно, воно давно вже мало б спати, як і всі ведмеді, — аж до весни.
Та щоразу, тільки-но ведмежа намагається заснути, йому ввижається величезний горщик меду!
— Я хочу їсти! Меду хочу! — скиглить ведмежа.
Воно здіймає такий галас, що всі довкола прокидаються.
Сові вже несила терпіти це, і вона гримає:
— Ану перестань! Лягай та спи! Ти чого всіх будиш, га?
— Я хочу меду! — аж захлинається ведмежа.
Нарешті сова не витримує й вирушає за медом. Вона кидає горщик у барліг до ведмежати.
— Гам-гам, гам-гам, — доноситься з барлогу. Ведмежа так голосно плямкає, що звірятам все одно не вдається заснути!

20 Цирк!

«Сьогодні на площі виступатимуть артисти цирку!» — тільки й чути на вулиці.
— О! Я теж хочу працювати в цирку! — вигукнув песик Маро. — Треба бігти туди негайно!
Біля шапіто песик побачив пуделя, який накульгував на лапку і при цьому сумно зітхав.
— Що сталося? — запитав він у пуделя.
— О, я поранив лапку, тому сьогодні не зможу виступати. А мені ж треба стрибати через обруч! — пожалівся пудель.
— Бідолашний... — зітхнув песик Маро. — А я б так хотів спробувати! Це ж так чудово — виступати на арені, коли тобі всі аплодують...
— Маро, а чому б тобі мене не замінити? — запитав пудель. — Мені здається, у тебе все вийде!
І того вечора мрія Маро нарешті здійснилася — він виступав у цирку!

21 Шкарпетки для курки

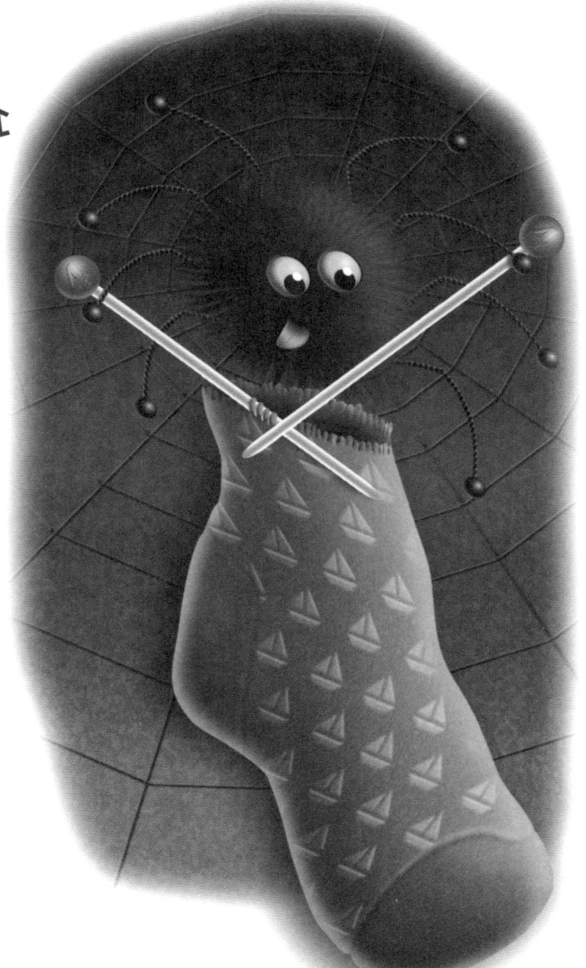

Курка Коко не любить зиму!
— Ой, як холодно! Цей сніг на лапках — коли вже та весна? — пхинькає вона.
— Та годі вже! Перестань! — заспокоюють її жителі пташиного двору. Їм так набридли ці скиглення!
Але Коко продовжує жалітися.
— Піди до моєї подружки — павучихи Сусі, — порадила гуска. — Вона тобі обов'язково допоможе!
Павучиха сплела курці гарненькі теплі шкарпетки.
Тепер, коли надворі холодно й сипле сніг, Коко одягає свої новенькі шкарпетки. Вона вже не жаліється, а вихваляється:
— А ви вже бачили мої нові шкарпетки? А ви бачили?
— Та годі вже хизуватися! — просять її птахи.

22 Котик і мишка

— Ой-ой-ой!!! — лунає з кухні голос господині. — Воркотику, допоможи! Тут миша! — кричить вона.
Кіт на ім'я Воркотик стрімголов біжить до кухні — рятувати хазяйку. Але спритна мишка вже встигла втекти і сховатися в маленькій шпаринці!
Котик намагається просунути в дірку лапу, щоб упіймати мишку, але марно — дірка надто маленька.
— Ну, гаразд, я й почекати можу! — каже Воркотик і лягає біля шпарини.
Він мріє, як упіймає мишку, а хазяйка його за це похвалить і наллє цілу мисочку смачного молока. Котик так поринув у мрії, що й незчувся, як його очі заплющились і він міцно заснув!
Із шпаринки тим часом з'являються вуса, потім мордочка — і хитра маленька мишка тікає з пастки просто під носом у котика Воркотика, який продовжує солодко спати!

Хатка тюленя

У тюленя Бома чудова крижана хатинка. Йому в ній так добре, що зовсім не хочеться виходити надвір, тому він просто спостерігає, як граються інші тюлені.

— Боме, Боме! — кличуть його друзі. — Чому ти не виходиш гуляти? Іди до нас!

— Щось не хочеться, — каже Бом, і оченята його хитро блищать.

Друзям кортить роздивитися його хатинку.

— Можна, я прийду до тебе в гості? — питає Біба.

— І я? — приєднується Зеба.

— Я теж хочу! — додає Зіг.

— Гаразд, приходьте, — погоджується Бом.

Він показує друзям крижані стіни, стелю й підлогу своєї хатинки, крізь яку видно весь підводний світ!

— Ой, як гарно! — захоплюються тюлені.

Але з часом море стає дедалі теплішим, і крижана хатинка починає танути. Нарешті від неї не лишається й сліду.

Тепер Бом плаває і грається разом із друзями, і всі вони дуже задоволені!

Час вирушати!

Сім'я китів — тато, мама і двоє діток — вирушає у подорож на південь.

— А де ж наші діти? — питає мама у тата.

— Дітки, час рушати! Ану, хутко сюди! — кличе тато-кит.

Донечка вже тут, але де ж синочок? Мама й тато непокояться.

— Ну от, як завжди! Знову десь зник! Коли нам треба вирушати, він десь подівся! — сердиться мама.

Усі кити вже попливли на південь, а мама-кит дуже не любить подорожувати окремо від інших.

Раптом усі чують тоненький голос:

— Мамо, тату, я вже тут! Я нікуди не подівся, а просто хотів назбирати гарних мушель для бабусі Бел!

Мама навіть не сварить сина — адже в нього таке добре й чуйне серце! Що ж, тепер уся сім'я зібралася — можна й вирушати!

25 Беркут шукає їжу

Беркут Бо полює, щоб прогодувати своїх діток. Він ширяє над зеленим полем, видивляючись здобич, і раптом бачить зайчика. Птах стрімголов летить до здобичі, але зайчик хутко ховається в нірці! Засмучений Бо ходить коло нірки й бурмоче:
— І чим тепер я маю годувати свою родину?
— Я можу тобі дати пораду, — озивається з нірки зайчик, — але пообіцяй, що залишиш мою родину в спокої!
— Гаразд, — погодився беркут. — Кажи швидше!
— На краю села живе м'ясник, у нього в коморі висить м'ясо на будь-який смак. Лети туди — і вибирай, що хочеш!
Бо летить до села, знаходить там оселю м'ясника й хапає в коморі добрий кусень м'яса.
— Дякую, зайчику! — гукає Бо і повертається до свого гнізда на верхівці гори, де на нього чекають дітки...

26 Гніздечко

Пташка тупик звила собі гніздечко, щоб висиджувати яйця.

Вона знайшла для цього затишну місцинку, принесла гілочок, травички, сплела гніздечко і прикрасила його яскравими пір'їнками.

Весь цей час неподалік від гніздечка сидів великий птах і спостерігав за нею. Задоволена своєю роботою, пташка полетіла ловити рибку, щоб пообідати.

Коли пташка повернулася до гніздечка з трьома рибинами у дзьобі, вона побачила, що в гнізді стало менше пір'їн!

— Мене пограбували! — закричала вона. — Хтось забрав мої пір'їнки! Тримайте злодія!

— Ось твої пір'їни! Я відібрав їх у великого птаха, — і поруч із нею сів самець-тупик. — Можеш спокійно висиджувати яйця, а я буду носити тобі їжу!

— Гаразд! Тоді давай пообідаємо разом! — запропонувала тупик. Дві пташки з задоволенням почали ласувати рибкою.

27 Мишка йде по хліб

Мишка Міллі зголодніла й вирішила піти купити хліба. Але надворі була така заметіль!

— Все одно треба йти, — вмовляла себе мишка й нарешті наважилася вийти за двері.

Через завірюху майже нічого не було видно. Раптом мишка побачила трикутнички, що стирчали з-під снігу. Міллі злякано запитала:

— Хто це?

— Няв! — почулося у відповідь.

Мишка стрімголов кинулась до нірки. А вже зачинивши двері, почула:

— Та я пожартував! Виходь!

Міллі відчинила двері й побачила свого братика Томі, який тримав у лапках дві запашні хлібини! Він весело сміявся.

— Томі, ти мене так налякав! Хіба ж так можна? — насварила його мишка. Але поласувати свіжим хлібцем не відмовилась!

28 Голуб Піт

У вітрині хлібної крамниці голуби побачили свіжі булочки й печиво.
— Я так хочу скуштувати хоч крихту! — сказав голуб Піт. — Мабуть, це печиво дуже смачне!
Тато-голуб порадив йому:
— Коли я був малим, то йшов за дітьми, що виходили з крамниці, й підбирав крихти, які падали, коли діти їли печиво. Так я скуштував і булочки, і пряники, і тістечка. Спробуй зробити так само!
Піт одразу кинувся за маленьким хлопчиком, який вийшов із крамниці з пакунком в руках. А той нахилився і простягнув йому ціле печиво!
Піт з'їв печиво, а тоді сів на плече хлопчика і почав туркотіти:
— Дякую, печиво було дуже смачне!

29 Пес Хука і пудель

Їздовий пес Хука вперше побачив, як якась жінка несла в сумці пуделя! Розмірковуючи над таким дивом, Хука солодко заснув. Розбудило його дзявкання неподалік. Пес швиденько побіг на звук.
— Що ти тут робиш? — запитав він у пуделя, який аж трусився від холоду.
— Я вистрибнув із сумки і втік від хазяйки, — відповів пудель. — Але тут так холодно, і в шерсть на моїх лапках набився крижаний сніг!
— Навіщо ж ти це зробив? — запитав Хука. — Так і замерзнути можна. Іди сюди!
Хука посадив пуделя коло себе й намагався зігріти його своїм теплим хутром. Аж раптом вони почули крики — то хазяйка помітила зникнення свого улюбленця і шукала його.
— Ой, мій бідолашка! — вигукнула жінка. — Йди до мене! Той страшний пес може тебе з'їсти!
— З тобою так добре і тепло! — зітхнув пудель, звертаючись до Хуки. — Але маю йти — бачиш, як хазяйка мене любить!
І пудель знову радо стрибнув у сумку.

30 Черв'ячок Вік

— Ну, нарешті! — з полегшенням промовив черв'ячок Вік, висунувши ввечері з землі голову. — Можна спокійно гуляти, не боячись, що хтось розрубає тебе лопатою навпіл!
— Добридень! — раптом почув він за спиною.
З несподіванки Вік так злякався, що не міг нічого відповісти. Він навіть боявся поворухнутись.
— Гм, який неввічливий! Міг би й привітатися! — наполягав приємний голос за спиною.
— Добридень, — нарешті зважився озирнутися Вік. Він побачив такого ж дощового черв'яка, як і він сам, але дівчинку.
— Гарна погода, правда ж? Мене звати Вікі, я теж тут живу, — сказала вона.
Вікові дуже сподобалась Вікі. Вони вирішили погратися в хованки, а наступного дня — в іншу гру... Тепер Вікові не так самотньо й лячно, бо в нього є подружка!

31 Білі, мов сніг

Білий сніг вкрив усе довкола пухкою ковдрою.
— А чому ми такі білі, мамо? — запитало північне лисеня.
— Так вирішила природа, — відповіла мама-лисиця.
— Але мені не подобається бути білим, мамо!
— Біле хутро рятує нас від хижих звірів і мисливців. Так нам легше сховатися у снігу, — пояснила мама-лисиця.
— А сніг тепер буде завжди? — продовжувало розпитувати лисеня.
— Зовсім ні, любий! Навесні сніг розтане, і ми станемо рудими!
Лисеня вийшло надвір. Повз їхню нірку проходив сірий вовчисько, але він не помітив малого! Лисеня кинулось назад.
— Мамо! Вовк мене навіть не помітив! Він просто пішов собі далі!
— От бачиш, синку! Тепер ти розумієш, чому так важливо бути взимку білими?

1 Совеня Бу

Увечері маленьке совеня Бу разом із мамою вилазить із дупла.
Воно дуже засмучене.
Усі звірята сплять, і йому зовсім ні з ким гратися! А вдень, коли вони виходять зі своїх нірок, Бу зазвичай спить!
Але Бу вже придумав, як йому вчинити, щоб більше не бути самотнім. І коли мама йде спати, совеня теж вдає, що заснуло, а потім прокрадається надвір.
А там уже ранок, і так яскраво сяє сонечко! Усі звірята повибігали з нірок і радіють новому погідному дню.
Мама Бу солодко спить, і малюк летить до зеленого поля, щоб знайти собі друзів.
— Нарешті я матиму з ким гратися! — вигукує совеня в польоті.

2

— Гей, ти чого тут літаєш? — занепокоєно мовила польова мишка, висунувшись із нірки. — Ти маєш виходити уночі, а вдень мусиш спати! Геть звідси!
— Та не бійся! Я не збираюсь тебе кривдити! Просто вночі мені сумно і немає з ким гратися, — відповіло совеня. — Давай дружити!
— Оце так новина! Совеня і мишка — друзі! Такого ще не було!
— А чому б і ні? — здивувалось совеня.
— Це неможливо. Сови споконвіку полюють на мишей, так було й буде завжди. Ти не можеш бути мені другом! — вигукнула польова мишка. — Ти хижак!
— Але що ж мені робити? — ледь не плакав Бу. — Ніхто не хоче зі мною дружити — чим же я завинив?
— Не сумуй, — раптом лагідно мовила мишка. — Просто твої очі так хижо виблискують уночі, що всі тебе бояться, от і все.
— Що ж робити? — запитав геть засмучений Бу.
— Прилітай сюди завтра, може, я щось тобі пораджу, — відповіла мишка.

3 Наступного дня Бу прилетів на поле, щоб знову зустрітися з польовою мишкою.

— Пугу! — вигукнула мишка, підкравшись ззаду.

Совеня аж підскочило з несподіванки.

— Тепер я все зрозумів! — зрадів Бу. — Просто всі звірята бояться мого пугикання, тому й ховаються, коли мене бачать, і не хочуть зі мною гратися!

— Бачиш, ти сам здогадався! — мовила мишка.

— Але що ж мені робити?

— Намагайся не пугикати так часто — і в тебе з'явиться багато друзів! — запропонувала польова мишка.

— Гаразд, — погодився Бу. — Дуже дякую тобі за гарну пораду!

Коли совеня прилетіло додому, то сказало мамі, що більше не буде пугикати.

— Але ж, синочку, усі ми, сови, кричимо «пугу!», — так велить нам природа.

— А я не буду! Я хочу, щоб у мене було багато друзів, і не хочу їх лякати!

З того часу совеня Бу намагалося якомога рідше кричати «пугу!», і звірята вже не боялися із ним гратися. Хоча іноді совеня все ж не могло стриматись, щоб не крикнути, — і тоді звірі хутко розбігалися по нірках...

4 Роги Альбана

— Хі-хі! У Альбана немає рогів! — сміялися його друзі-лосі.

— Ну то й що? — відповів Альбан. — Вони скоро виростуть, і будуть ще кращі, ніж у вас!

— А мені все одно, є в тебе роги чи немає, — мовило лосеня Фло.

— Але ж із мене сміються! — засмучено мовив Альбан.

— Чому б тобі не сходити до лікаря Елана? Він розкаже тобі, коли мають вирости роги!

Лікар був дуже здивований, коли побачив лося Альбана.

— Що трапилось? Ти не захворів, бува?

— Друзі сміються наді мною, бо в мене не ростуть роги, — пожалівся той.

Лікар усміхнувся і пояснив:

— Просто ти ще малий. А наступного місяця роги обов'язково виростуть — ти й незчуєшся, як швидко це станеться! А ось твої друзі наступного місяця скинуть свої роги. Тож невідомо, хто над ким сміятиметься, мій друже!

— Ой, швидше б уже вони росли! — зітхнув Альбан і почимчикував додому.

5 Індик-співак

Ді — молодий індик. Він мріє співати вранці, як півник Роко.
— Поступися мені своїм місцем, Роко, хоча б на один день! — просить він півника.
— Гм, я міг би, звичайно, поступитися, але ж співати — не така вже й легка справа! — відповів півник. — Ну, гаразд, спробуй!
Роко простягнув Ді крило, щоб допомогти йому видертися на паркан. Але індик був надто важкий!
— Я краще залишусь тут! — мовив він.
— Добре, лишайся там і спробуй покукурікати! — сказав Роко.
— Буль-буль-буль! — пробелькотів Ді.
— Та таким белькотінням ти й курча не розбудиш! — пихато мовив Роко. — Ось послухай, як треба! Ку-ку-рі-ку-у-у-у! — голосно прокукурікав півник.
Раптом до паркана прибігли розлючені кури.
— Гей, Роко, ти чого так рано нас підняв! Нам би ще спати й спати! — дратувалися вони. — Курчата плачуть, бо не виспались!
Подивився індик на ту бучу та й мовив:
— Ні, краще вже не співати — бо це, мабуть, і небезпечно: не тоді проспіваєш, ще й перепаде на горіхи!

6 Синичка Маруся

— А знаєте, що? Я більше не їстиму м'яса! — цвірінькала синичка Маруся. — Ці черв'яки такі несмачні!
— Та певно, — погодилась синичка Поля. — І я б їх не їла, але що ж поробиш, якщо немає нічого смачнішого?
— Я знаю, де можна знайти щось смачненьке! — вигукнула Маруся. — Треба летіти до бабусі Тосі, вона завжди пригощає своїх онуків смачним печивом — може, й нас пригостить?
— Летімо швидше! — зраділа Поля.
Синичка Маруся правду казала — бабуся Тося любила і діток, і птахів. Коли онуки поласували печивом та тістечками, старенька зібрала всі крихти, що залишилися, й висипала їх у годівничку.
— Як смачно! — пробурмотіла Поля, дзьобаючи мигдалеве печиво.
— От бачиш! Тут нас годуватимуть до весни! — впевнено сказала синичка Маруся.

7 Ослик, який не хотів працювати

Ослик Стефан дуже не любив, коли йому на спину клали важку ношу. Навіть маленьких діток відмовлявся на собі катати!
Колись давно його тато сказав, що ноша натирає і втомлює спину, тому ослик вирішив, що буде носити на собі все, крім того, що покладе на нього фермер. І коли той наближався до нього із якимось вантажем, ослик починав стрибати й відбиватися копитами.
Але одного дня до ослика прийшов син фермера Рені. Він приніс із собою м'якеньку ковдру.
Хлопчик постелив її на спину Стефана й прошепотів йому на вушко:
— Любий ослику! Я так хочу, щоб ти мене покатав на своїй спині!
Ослик дозволив малому сісти йому на спину й потихеньку пішов стежкою. Стефану подобалася м'якенька ковдра, та й хлопчик був легесенький, немов пір'їнка! А от важкі речі на собі носити — та нізащо у світі!

8 Свято для єнотів

Одного ранку єнот Ру прокинувся від того, що був голодний і дуже змерз. Бідолаха вирішив піти й пошукати щось попоїсти. Він знав, що напередодні в селі було велике свято, тож в сміттєвих баках можна знайти що завгодно — і млинці, і булочки, і наїдки на будь-який смак! Коли Ру наблизився до бака, то побачив, що звідти вибігла його родичка — єнотиха Лара! Вона стрімголов помчала до своєї нірки! Оце так! Невже Ру залишиться без їжі? Ру вирішив побігти за Ларою і попросити поділитися з ним.

— Заходь, любий Ру! — вигукнула Лара. — Я маю що їсти, і радо поділюся з тобою! Давай і ми відсвяткуємо!
Ру зайшов до нірки й побачив, що вона прикрашена яскравими гірляндами, а на столі лежать млинці, печиво та інші наїдки.
Навіть кілька горобців напросилися на гостину!
Гарненько попоївши, Ру вирушив до своєї домівки, погладжуючи кругленький животик.

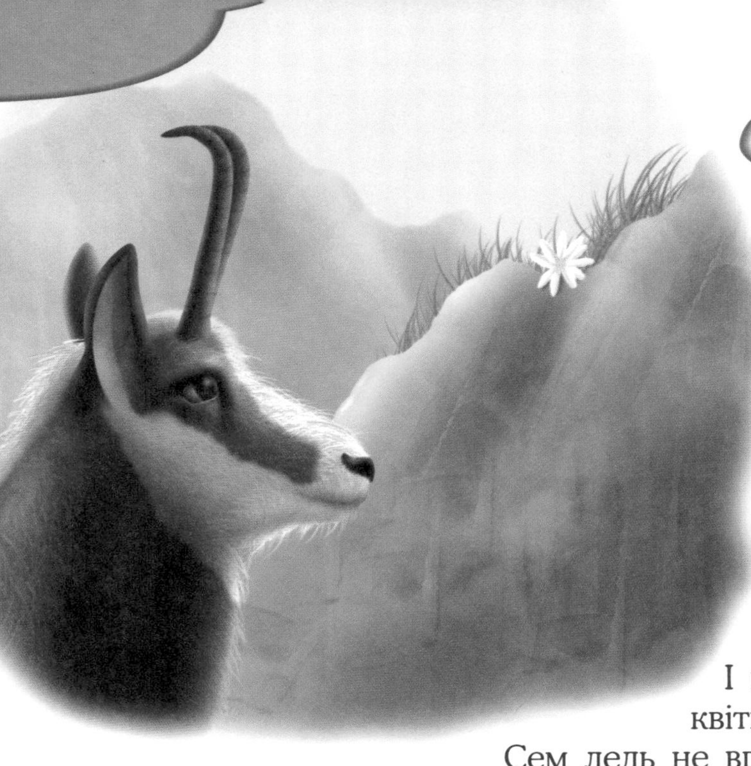

9 Чарівна квітка

Високо в горах козлик Сем побачив дуже гарну квітку.

— А вона, мабуть, смачна, — сказав він мамі.

— Це едельвейс, синку. Ця квітка дуже рідкісна, тому їсти її не можна! А ще її називають чарівною.

Сем дуже засмутився.

— Якщо мама забороняє, то мабуть, ця квітка дуже вже незвичайна, — вирішив він. — Я хочу її дістати.

І козлик подерся на гору, щоб зірвати квітку. Схили були дуже круті, й кілька разів Сем ледь не впав. Але він рішуче продовжив шлях!

— Семе, повернися негайно! — гукала мама.

І ось коли до квітки лишалося кілька кроків, Сем послизнувся, впав і покотився донизу — просто під ноги мамі.

— Мабуть, ця квітка й справді чарівна — бо ж і дістатися до неї не можна! Але коли я підросту, то таки піднімусь на гору і просто милуватимусь нею, матусю!

10 Грайливий поні

Маленький поні Харві просто обожнював перестрибувати через паркани та перешкоди. Але його мама була цим дуже занепокоєна:

— Синку, якщо люди побачать, як ти стрибаєш, то заберуть тебе — і доведеться брати участь у змаганнях!

— Але ж мамо, це так весело! — відповідав Харві.

— Я не знаю, що робити з цим бешкетником, — жалілася мама-поні подругам.

Одного разу до них прийшов старенький поні Потті.

— Ох, як же набридли мені ці перегони, — стогнав він, — я так хочу спокою! Я вже надто старий.

Харві просто засипав його запитаннями:

— Пане Потті, розкажіть про перегони, — просив він.

— Спочатку, Харві, усе це дуже цікаво й весело, але потім, коли доводиться більше часу проводити в темних вантажівках, ніж на перегонах, це дуже втомлює…

Після цієї розповіді Харві зовсім засумував.

Потті став його заспокоювати:

— Ходімо, пострибаємо через паркани, але так, щоб нас не побачив ніхто із людей…

— Чудово! Тепер у Харві є новий друг, з яким так весело долати перешкоди!

11 Голодне телятко

— Му-у-у! Му-у-у! — мукало маленьке телятко.
— Де твоя мама? — запитала корова, що паслася неподалік.
— Я її давно чекаю! Вона звеліла мені гратися і сказала, що повернеться по обіді. Але мені так сумно і я такий голодний!
— Зачекай, маленький, зараз ми її пошукаємо!
Корова покликала усіх корів, що паслися на лужку, і вони голосно замукали:
— Му-у-у-у! Розалі! Ти де?

Розалі почула мукання й прийшла на лужок.
— Що сталося? — здивовано запитала вона.
— Твій синочок зголоднів і плаче!
— Не плач, моє сонечко, зараз їстимеш, — лагідно промукала Розалі й додала: — А ще я знайшла чудову галявинку неподалік — там ростуть і ромашки, і конюшина... Завтра підемо туди пастися.
Ох і зраділо телятко!

12 Пробі! Рятуйте!

Песики-сенбернари солодко спали в хатинці. Раптом знадвору почулися крики.
— Рятуйте! Допоможіть! Там, на горі, хтось кричить — мабуть, потрапив у халепу! — злякано гукала мама-скунс Жоржетта.
— Зачекайте! — звелів найстарший сенбернар. — Треба взяти з собою все необхідне!
Песики швиденько наповнили термоси гарячим чаєм і м'ятним настоєм, взяли банку з малиновим варенням.
— Чудово! — вигукнула Жоржетта. — Це допоможе врятувати тих, хто потерпає там, на горі!
Загрузаючи в снігу, сенбернари стрімголов помчали на гору. І що ж вони побачили? Там була вся сім'я Жоржетти — скунси заходились від сміху.
— Та не ображайтеся! Ми пожартували! — сказали скунси. — Просто нам захотілося чаю з малиновим варенням!

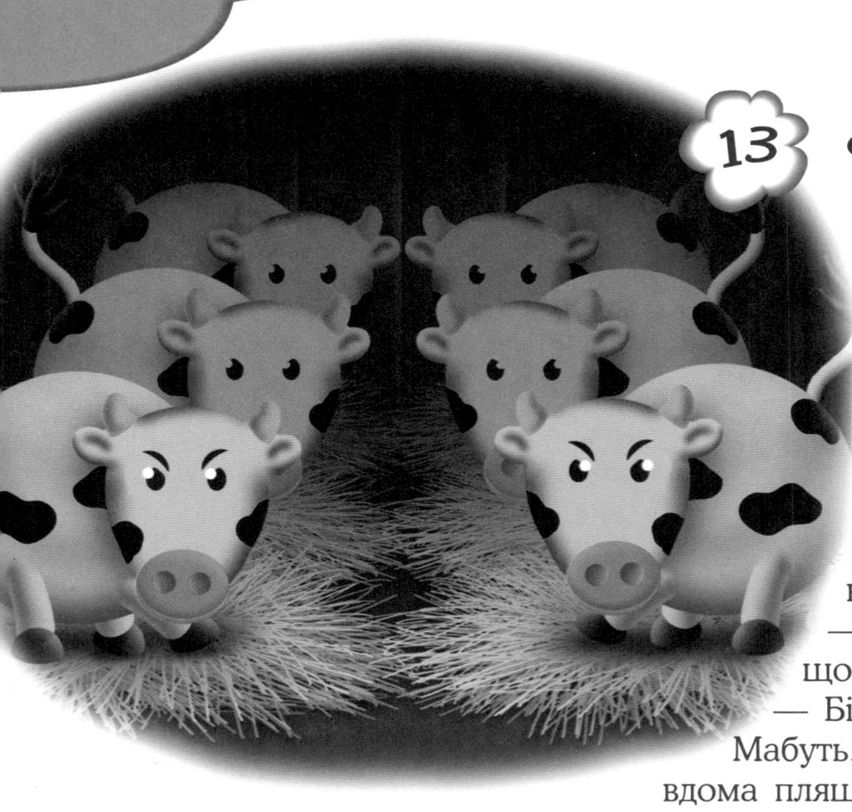

13 Свіже молоко!

Корова Розалі та її подруги прокидаються рано-вранці, щоб давати молоко.

— Гей, вставайте! — будить інших корів Розалі. — Годі спати, фермер вже чекає!

Після того, як їх подоїли, корови чимчикують на прогулянку.

Одного разу вони зустріли маму з візочком, у якому плакало дитинча.

— А-а-а-а! А-а-а-а! — кричало воно щосили.

— Бідненьке! — мовила Розалі. — Мабуть, хоче їсти, а його мама забула вдома пляшечку з молоком...

У Розалі з'явилася чудова ідея. На дверях корівника вона написала: «Свіже молочко для всіх діток!»

Тепер щоранку біля корівника можна побачити мам з візочками — вони прийшли за чудовим парним молоком!

Поцілунок бізона

Настало свято усіх закоханих, і бізони вирішили влаштувати бал. Але бізон Пако страждав — він був дуже сором'язливий, до того ж закохався у ту ж дівчину-бізона, що й хитрий Оллі.

— Карла така гарна, — зітхав засмучений Пако, — але навіть не дивиться у мій бік...

Оллі ж знав, що Пако закоханий у Карлу, тож вирішив підсипати йому у склянку снодійне.

— Він вип'є його й засне, — міркував Оллі, — а я всю ніч танцюватиму з Карлою!

Але Карла побачила, що зробив Оллі, й вирішила його провчити. Вона поміняла склянки, й Оллі потрапив у власну пастку — він випив напій зі снодійним! Звісно, він одразу ж заснув, а Пако всю ніч танцював із коханою Карлою. А під ранок навіть зважився її поцілувати!

15 Грибний шампунь

Дикий кабан Симон сумував — він не хотів мати таку густу й цупку щетину.

— Ох, як же вона мені набридла, — стогнав він. — Я хочу бути гладеньким і блискучим, як моя сестра свинка!

— Не журися! — втішали його зайці. — Ми приготуємо для тебе чарівний шампунь! Біжімо до річки!

По дорозі зайці знайшли якихось корінців та грибів, погризли їх, а потім намастили Симона цією масою і звеліли почекати. Кабан терпляче чекав — дуже вже йому хотілося стати гарним!

— А тепер заходь у воду, — сказав один із зайців, — шампунь треба змити! Вода прохолодна, але ти потерпи!

Коли Симон висох, то побачив, що зайці його обдурили — його шерсть стала не гладенькою, а кучерявою, немов у вівці!

Зайці ж, побачивши це, миттю втекли!

16 Ведмедиця і байбаки

Кожної зими у лісі можна спостерігати одну й ту ж картину. Ведмедиця Лулу солодко спить у своєму барлогу. А веселі байбаки Ноно і Крако, що живуть по сусідству, теж би мали спати, але їм хочеться побешкетувати...

— Зараз ми будемо лоскотати Лулу! — вирішують байбаки і залазять в барліг. Спочатку вони з'їдають усі запаси Лулу, а вже потім починають її лоскотати...

Лулу перевертається уві сні, ворушить своїми великими волохатими лапами й мимохіть притискує ними байбаків!

— Я не можу вибратися! — шепоче Ноно.

— Я теж! — злякано відповідає Крако.

Байбаки так переїли, що їм навіть важко рухатись, отож невдовзі вони солодко засинають тут же, біля ведмедиці. І прокинуться, мабуть, не раніше, ніж Лулу. Цікаво, що ж вона їм скаже навесні?

17 Горлечко болить!

Уранці всі лебеді на озері прокинулись хворі. Бідненькі! Вони не могли поворухнути шиями!
— Ой, як боляче, — жалівся тато-лебідь. — Це все північний вітер — щороку він так дме, що всі жителі озера ходять застуджені...
— Треба йти до лікаря, — мовила мама-лебідка. — Він обов'язково нам щось порадить!
Але ж і черга була до лебединого лікаря — здавалося, що лебеді з усього світу прибули туди!
— Що ж із вами робити? — бідкався лікар. — У мене й ліків уже не лишилося... О, здається, я знаю, що робити!
Лікар відчинив шафу.
— Тримайте! Ось чудові шарфики для вас!
Лебеді закутались у теплі шарфики й полетіли додому. Тепер їхні шиї не боліли!
— Треба зберегти ці шарфики і на наступний рік! — вирішили птахи.

18 Страшний сон

Ой, що ж це робиться? Киця Мурка зовсім не має апетиту! Вона сумно гуляє по доріжці в садку і їй зовсім нічого не хочеться. А все тому, що киця десь згубила свої вуса — тепер ні їсти, ні пити не хоче...
— От і не спіймаєш, от і не спіймаєш, — дражниться маленька барвиста пташка, літаючи над самою головою киці.
— Ану, спробуй, наздожени, — нахабно гукає сіра мишка і пробігає просто поміж лап Мурки.
Від обурення киця аж підстрибнула. І прокинулась.
— Як добре, що це був тільки поганий сон, — полегшено зітхає киця Мурка й біжить до дзеркала — переконатись, що все це їй лише наснилось. Ну, от — вуса на місці й нікуди не зникали!
А тепер і на вулицю можна вийти. Киця вибігає з дому — стережіться, мишки й пташки! Ось так!

19 Хитрі лані

Одного разу лані зібралися на галявинці, щоб погомоніти, обговорити останні новини. Раптом вони почули, як пугач Бу гукає до них:

— Гей, обережно! Вони вже наближаються! Тікайте швидше!

— То, мабуть, мисливці, — здогадалась Ніні, наймудріша з ланей. — Послухайте, а давайте їх провчимо?

Ніні взяла фотоапарат і почала фотографувати своїх подружок.

— Так, станьте ближче, щільніше, всі усміхайтесь! КЛАЦ!

Ніні почепила велике фото на дерево, потім усі лані сховалися в гущавині, причаїлись і стали чекати на мисливців. Незабаром мисливці вийшли на галявину. Вони ще ніколи не бачили стількох ланей одночасно, тому схопили рушниці й почали стріляти у фото! А лані тим часом підкралися до них ззаду та як штовхнуть — мисливці так і покотилися шкереберть! Так їм і треба!

20 Кролик-мрійник

Жу — милий кролик, який завжди про щось мріє, тому буває неуважним. Якось він пішов із друзями на ковзанку.

— Зараз я покажу вам, як треба кататись! — гукнув він, розігнався... і раптом його лапки роз'їхались і кролик впав.

— Гей, Жу, та ти поглянь, що ти взув, — засміялися друзі-кролики. Жу зиркнув на лапки й дуже здивувався — а де ж ковзани? Замріявшись, він узяв із собою замість ковзанів домашні капці! Засмучений кролик вийшов на берег. Раптом лід затріщав і всі його друзі попадали в холодну воду!

Жу вхопив міцну палицю й кинувся на допомогу.

— Тримайтесь, я вас витягну!

І він допоміг кроликам вибратися на берег.

Бо хоча Жу любить мріяти і тому частенько про щось забуває, однак він дуже хоробрий кролик і справжній друг!

21 Намилене вовченя

Вовченяті Лупі було сумно, бо з ним ніхто не хотів гратися. З-за кущів він спостерігав, як на галявинці граються дві сестрички-овечки — Ді і До. Але тільки-но хотів до них приєднатися, як вони починали тікати — хто ж не боїться вовків!
І знову Лупі залишався на самоті.
Але одного дня в нього з'явилась просто чудова ідея! Лупі взяв шматок мила й стрімголов помчав до річки. Там він намилився з ніг до голови і став схожий на кудлату білу овечку!
Лупі був дуже задоволений і радо побіг на галявину. Раптом небо вкрили темні хмари і почалася справжня злива! Дощ змив із вовченяти всю мильну піну — і Лупі знову став сірим.
— Ой, рятуйте, вовк!!! — загукали перелякані вівці й кинулись навтьоки.
Так і не вдалося Лупі з ними потоваришувати...

Ворона вивчає англійську

Маленька ворона Петі дуже хоче товаришувати з людьми. Але її батьки — ворон Гран та ворона Грун не дозволяють їй цього, навіть наближатися до людей забороняють!
— Вони нас не люблять, — повторяють вони Петі. — Люди думають, що ми допомагаємо злим чарівникам!
Але Петі не полишає думки, як би їй подружитися з людьми. Одного разу вона прочитала в книзі своєї подруги сови, що в країні на березі моря — Англії — люди шанують і поважають ворон, бо переконані, що ці птахи приносять щастя.
— Мабуть, краще жити там, — вирішила Петі й стала збиратися в дорогу. Найперше вона почала старанно вивчати англійську мову. Але що там вчити — «кар-кар» — воно й англійською «кар-кар»! Тож Петі може сміливо вирушати до Англії, звісно, коли підросте...

Мишачий острів

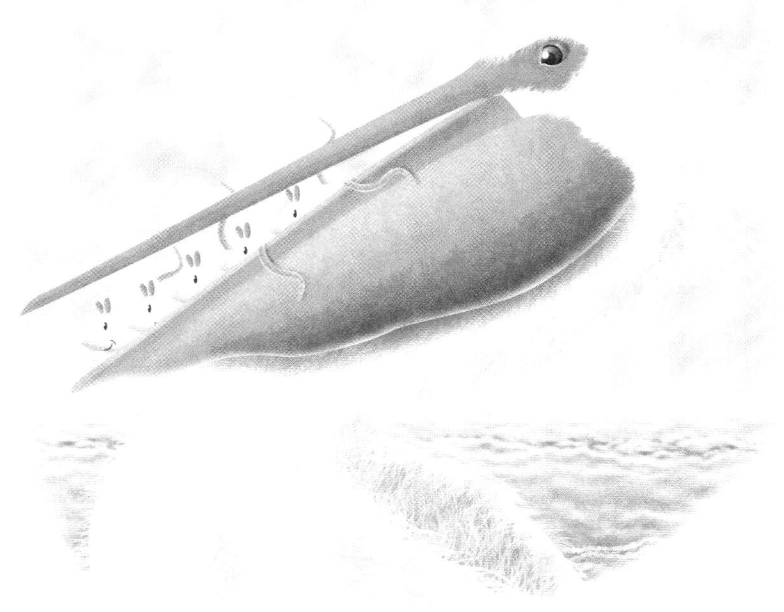

У старому будинку на березі моря жили сотні маленьких сірих мишок. Щовечора вони збиралися на горищі, аби послухати оповідки старої мудрої бабусі-мишки. Маленькій мишці Мілі найбільше подобалися бабусині розповіді про чарівний острів у морі, де немає жодного кота — справжній рай для мишей і мишенят!

Мілі так захотілося туди потрапити! Як добре було б там жити! Це був би справжній мишачий острів. Але ж як дістатися до нього маленькій мишці?

— Я придумав! — утішив засмучену Мілі її друг — білий пелікан. — Я візьму тебе у дзьоб і перенесу на той острів!

— І я, і я хочу! — радісно запищали собі й інші мишенята.

Відтоді білий пелікан щоранку мусить перевозити по кілька маленьких мишок у дзьобі на чарівний острів, де немає жодного кота...

24 Ховрашок Пік

Ховрашок Пік просто обожнює насіння соняшника! Він ласує ним з самого ранку й до пізнього вечора. Уся його нірка встелена соняшниковим лушпинням, ніби справжнім килимком!

— Ні, ні, — відмовляється він від усіх ласощів, якими його хочуть пригостити друзі. — Я їм лише соняшникове насіння й іншого не хочу!

Одного ранку ховрашок вирушив до магазину, де зазвичай купував насіння. Продавець запропонував йому спробувати насіння гарбуза.

— А це що таке? — пробурмотів Пік, однак насіння взяв. Потім він покуштував одну насінину і здивувався: — Але ж і смачно!

Пік набрав за щоки стільки гарбузових насінин і так наївся, що став схожий на величезну пухнасту кулю! Так і довелося йому котитися до нірки з вершечка пагорба — ще й торбинку з насінням із собою прихопив!

25 Душ для пінгвінів

Бр-р-р! Ох і холодно! Вода в морі просто крижана, тому пінгвіни не можуть як слід помитися!
Тато-пінгвін дуже незадоволений, що його син Пінгві такий брудний.
— Але й замурзаний ти, — постійно каже він Пінгві. — Хіба ж личить пінгвінам бути такими нечупарами?
Аж тут з води випливає величезний добродушний кит Балі.
— Ану, кому теплий душ! Хто митися хоче? — голосно питає він і випускає цілий фонтан теплої води.
Усі пінгвіни хочуть прийняти теплий душ! Вони радісно хапають свої рушники й чимдуж біжать до води.
— Я, я перший! — гукає малий Пінгві. — Я не хочу бути нечупарою!

26 Смачний салат!

Жюстіна — це маленька симпатична черепашка. Вона дуже любить листки зеленого салату — адже вони такі смачні!
Одного разу Жюстіна набрела на ціле поле салату. Вона почала їсти листочки й не спинилася, поки не з'їла їх усі. Добре, що вдалося втекти від розлюченого фермера, який побачив, що сталося з його городиною!
Ледве перебираючи лапками, Жюстіна почвалала дорогою до села, і тут її побачила маленька дівчинка.
— Мамо, дивись, яка гарна черепашка! — вигукнула вона.
— Можна, я заберу її додому і нагодую салатом? Черепахи ж люблять ним ласувати?
— О, ні! — злякано вигукнула Жюстіна. — Досить з мене салату, не хочу-у-у...

27 Скарби

Сорока Піпі дуже говірка, а ще вона полюбляє поцупити щось гарне. Особливо їй подобається все, що виблискує! Усі скарби Піпі ховає у своєму гніздечку. Ніхто не може туди дістатися, навіть її подруга — курка Коко. Невдоволена Коко вирішує підманути сороку.

— Я знаю, де є справжні скарби, — каже вона Піпі.

— Де ж вони? Скажи! — благає сорока.

— Там, на трояндовому кущі!

Піпі летить до куща і справді бачить там багато блискучих кульок.

Вона намагається вхопити хоч одну, але марно! Кульки зникають, коли сорока торкається до них.

— Гей, що ти робиш! Ти мені все павутиння розірвала! — кричить на сороку великий волохатий павук.

Присоромлена Піпі розуміє, що це блищали на павутинні краплинки роси.

Вона летить до гнізда і ще довго не з'являється надворі...

28 День народження зайчика Пупу

Зайчик Пупу завжди стомлений — йому доводиться так багато бігати! Він працює лісовим поштарем, до того ж усі жителі лісу дають йому різні доручення. «Зроби те, побіжи туди», — тільки й чує Пупу.
Одного дня він так стомився, що приліг відпочити під крислатим деревом і одразу міцно заснув.
І наснилося зайчикові, що він їздить на гарненькому зеленому велосипеді, та ще й у змаганнях бере участь!
— Ура! Ура! — гукають всі довкола, коли він стає переможцем.
— Пупу! Пупу! — раптом почув він.
Зайчик прокинувся, схопився на ноги й побачив, що довкола зібралися всі лісові жителі, а біля дерева стоїть справжнісінький зелений велосипед!
— Це наш подарунок на твій день народження! — пояснюють звірята, — Вітаємо!
Тепер Пупу більше не буде стомлюватись!

29 Як провчили Рокі

Такса Рокі постійно кусає за ноги бідолашних овець!
І от одного разу вівці вирішили її провчити.
— Я маю чудову ідею, — мовила овечка Бетті.
Вночі Рокі прокинулась від страшного гарчання. Поряд стояло волохате чудовисько, яке звернулось до неї:
— Р-р-р-р-р! Ти кусаєш за ноги овець, тому я, чарівник, прийшов тебе покарати! Пообіцяй, що більше не робитимеш цього, — тоді я тебе не чіпатиму!
Перелякана Рокі заприсяглася, що більше не зачепить жодну вівцю!
Звідки їй було знати, що налякала її звичайнісінька вівця, яка вбралася чудовиськом!
Тепер вівці не бояться Рокі, а Бетті іноді тихенько гарчить, коли Рокі проходить повз них, — і тоді такса починає з острахом озиратися — чи нема, бува, поряд страшного чарівника, який захищає овець...

Весняне прибирання

Щовесни кріт Лупі ретельно прибирає свою нірку. Цього року йому вдалося прибрати нірку особливо гарно — він поставив у кімнаті симпатичні крісла, а підлогу застелив килимом із сухих листочків та пелюсток квітів! Диво, а не нірка!

— Треба запросити мого сусіда Гастона, щоб він помилувався моїм житлом! Гастон буде вражений!

Кріт одягнув капелюха, причепурився й вирушив у путь.

Але Лупі дуже погано бачив. Тому, коли він почав рити тунель до нірки крота Гастона, то помилково потрапив до кролячої нірки!

— Гуп! — він завалив цілу стіну!

— Що ти наробив! — розлючено вигукнув тато-кролик. — Ось я зараз тобі покажу!

Кролик погнався за кротом, але Лупі вдалося накивати п'ятами! Ледве втік!

Наступного дня кріт Лупі знову вирішив піти до свого друга.

— Цього разу я візьму з собою компас, тому не заблукаю, — міркував кріт. — І нарешті Гастон побачить мою чудову нірку!

Лупі став рити широкий тунель. Зовсім забувши про компас, він рив і рив, поки не потрапив у нірку щура. Знову помилився!

— Гуп! — і в стіні щурячої нірки з'явилась чимала діра!

— Привіт, Гастоне! — мовив підсліпуватий кріт. — Ходімо до мене в гості, побачиш, як у мене гарно!

— Що ти зробив із моєю ніркою? — заверещав щур. — Ось я тобі зараз покажу! Ти ще не знаєш, як кусаються щурі, коли їм руйнують житло!

Щур був такий розлючений, що Лупі не став нічого пояснювати, а одразу кинувся навтьоки.

— Ой-ой-ой! Допоможіть! — гукав він, поспішаючи до своєї нірки.

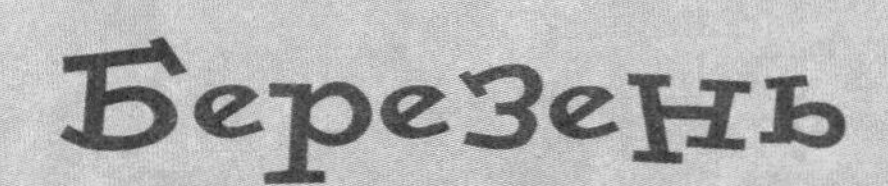

3

Однак Лупі не полишив свого задуму запросити Гастона в гості!

— Ну, тепер я чудово підготувався! — сказав він на третій день. — І окуляри взяв, і мапу, і лопату, і компас — геть усе! Зараз капелюха одягну — і в дорогу!

На цей раз Лупі пощастило — він потрапив просто до нірки Гастона!

— Любий сусіде, запрошую тебе в гості! О, та тут і кролики, і щур! Усі сусіди зібралися в Гастона!

— Пробачте, любі сусіди, що я наробив вам шкоди! — промовив Лупі. — Це все через поганий зір! Однак тепер усі наші нірки сполучені тунелями, а я запрошую вас до себе в гості. Будемо святкувати весну!

І всі звірята пішли милуватися затишною ніркою Лупі.

4 Цікаві історії гуски Ірми

— Іди звідси! Нам набридли твої теревені, — проганяли гуску Ірму кури. — Скільки можна розповідати свої казки!

— Ця гуска така надокучлива, — погодилися всі жителі пташника. — Несила терпіти!

Ірма засмучено сіла у своєму гніздечку. Та до неї одразу ж прибігли курчата — вони так любили казки!

Вони вмостились навколо Ірми і зачаровано слухали казки про принцес і принців. Ірма ж із радістю їх розповідала.

А кури ледь не луснули від заздрощів, бо ж курчатам більше подобалося слухати Ірму, ніж їх!

— Спати, діти! — кликали вони. — Хутко!

— Ні-ні! — відповідали курчата. — Ірма розповідає такі цікаві казки, дайте дослухати! Ірмо, розкажи ще!

5 Собака і мавпочка

Одного разу до міста з далеких країв прибув корабель. Мавпочка Туті радо стрибала на палубі, побачивши сушу. Моряки почали носити ящики та валізи, а мавпочка тим часом подалась до міста.

Але тут усі були такі непривітні! Голуб не захотів із нею привітатись, щур мало не вкусив, а кішка накинулась на неї і подряпала!

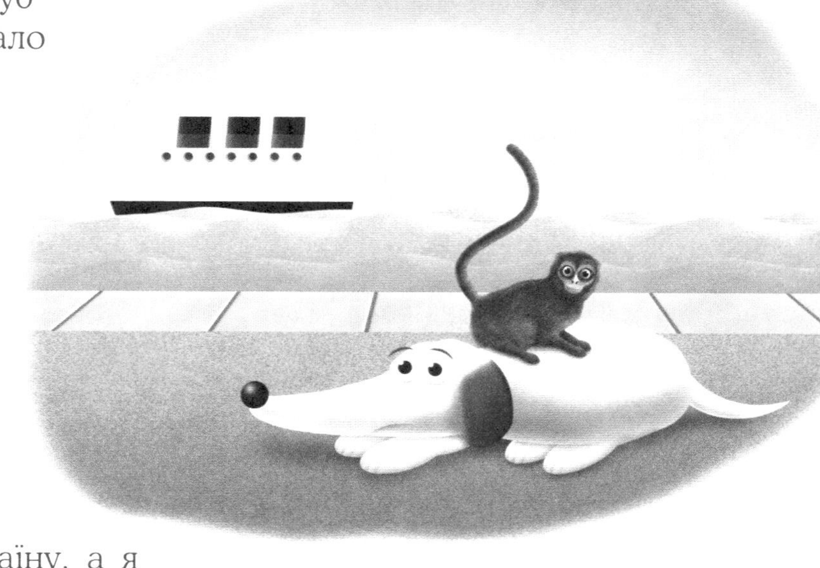

— Яка дивна країна, — засмутилась Туті.

Вона почала згадувати своїх друзів, які залишилися так далеко...

Раптом Туті помітила біля лавки старого собаку.

— Ти прибула здалеку? — запитав собака.

— Еге ж! — відповіла Туті. — А тут усі такі неприязні!

— Розкажи мені про свою далеку країну, а я тобі розповім про нашу! — запропонував собака.

І з того часу в місті частенько можна було побачити старого собаку, на якому сиділа мавпочка і щось йому розповідала...

6 Дятел-музика

Дятел Піко мріяв стати справжнім музикою. Але щойно він заходився вистукувати дзьобом по стовбурах дерев мелодію якоїсь пісеньки, як усі звірі починали його лаяти і проганяти.

— Та годі вже стукати, набрид! — гримала на дятла сова Кло.

— Може, ти деінде влаштуєш гармидер, хулігане? — сварилась білка Руся, коли Піко перелітав на дерево, де було її дупло.

Дятел дуже засмутився і полетів подалі від лісу.

На луці він зустрів маленького цвіркуна Крі.

— Ходімо зі мною, — запропонував цвіркун, коли Піко розповів йому про свої неприємності. — Я знаю, де є старе трухляве дерево, а поблизу — нікого!

З того часу Піко займається музикою, вистукуючи по стовбуру старого дерева.

З-під його дзьоба линуть різні мелодії, а цвіркун співає чудові пісеньки.

Піко і Крі стали справжніми друзями!

7 Закохана жаба

Жабка Анет не хотіла гратися зі своїми подружками. Вона любила просто ніжитися на сонечку.

— Ходімо пірнати! — кликали її інші жабки.

— Я не люблю води, — відповідала Анет.

І коли всі жабки весело бовталися у воді та влаштовували змагання з плавання, вона тільки ліниво спостерігала за ними. Анет цілісінькими днями лежала на лататті й нічого не робила.

А коли наставав вечір і жаби починали квакати, Анет укривалася листком з головою й міцно засинала.

Але одного разу на озері з'явився Жозе — справжній принц-жабка! Він був дуже гарний.

І Анет почала гратися з іншими жабками, стрибати, змагатися — робити все, щоб привернути його увагу! Вона закохалася в прекрасного принца-жабку!

Тепер її легко можна впізнати на озері — вона квакає голосніше за інших жаб, а поряд із нею — її жаб'ячий принц!

8 Скунс і білка

Скунс Жорж дуже хотів потоваришувати із білкою Русею. Але та не бажала мати такого друга і постійно казала йому, що він погано пахне. Та хіба ж він був винен у тому? Адже всі скунси погано пахнуть!

— Жорже, я не хочу з тобою дружити, — говорила Руся.

Нарешті ображений скунс вирішив покарати білку. Він змастив стовбур дерева медом і обережно заліз на самісінький вершечок.

А потім покликав:

— Русю, хутчіш іди сюди! Тут такі величезні горіхи!

Руся, звісно ж, не могла відмовитися від такої смакоти і чимдуж пострибала по стовбуру. Вона навіть не помітила, що замурзалася з ніг до голови!

А Жорж, побачивши брудну білку, почав насміхатись:

— Ой, Русю, яка ж ти нечупара! Геть уся липка й брудна! Хіба ж так можна? Ні, мабуть, не буду я з тобою дружити!

Ось так скунс провчив пихату білку Русю!

Справжній друг

— Я так хочу, щоб у мене був справжній друг, — зітхав білий ведмідь Міка, який самотньо жив на крижині.

Міка знав безліч цікавих історій та казок, але йому не було кому їх розповідати...

Одного разу Міка зліпив із снігу білого ведмедя, сів коло нього й почав:

— Одного разу білий кит...

Міка цілий день розповідав про цікаві пригоди кита, але ввечері йому знову стало сумно й він замовк. Адже його сніговий друг був несправжній...

Раптом ззаду почувся тихенький голос.

— Скажи, а що було з китом далі? — почув Міка.

Ведмідь здивувався — невже це заговорив зроблений ним сніговичок?

Та ні! То був маленький пінгвін, який заховався за сніговим ведмедем і весь цей час уважно слухав Міку.

Ведмідь Міка був дуже задоволений — адже він знайшов справжнього друга, якому тепер можна розповісти всі казки!

Хитрий лис

Одного разу по дорозі коло лісу проїжджав віз, і нього випав шматок соковитого м'яса. Вовк і лис побачили це й підбігли до нього.

Кожен з них хотів поласувати м'ясом, але вони ніяк не могли поділити між собою і почали сваритись.

Тоді хитрий лис запропонував розіграти шматок:

— Давай закинемо шматок у поле, — сказав він вовкові, — зав'яжемо собі очі хустиною — і хто перший знайде м'ясо за запахом, тому воно й дістанеться!

— Гарно ти придумав! — погодився вовк. Він був упевнений, що виграє.

— То йди сюди, я зав'яжу тобі очі, — сказав лис. — А потім і собі зав'яжу!

Вовк підійшов, і лис зав'язав йому очі.

— Ну от, я вже нічого не бачу! Кидай уже той шматок! — загукав вовк, крутячи головою. — Я шукатиму!

Але хитрий лис вже давно втік! І шматок м'яса не забув із собою прихопити.

11 Твігі захворіла!

Павучиха Твігі — справжня майстриня! Вона може сплести шапку, шарфик і навіть рукавички! Щороку, коли настає осінь, Твігі має багато роботи — треба плести теплі речі на зиму для всіх звіряток лісу! Але одного дня вона відчула, що захворіла.
— Ой, як голова болить! І кашель! Кха-кха! — кахикала павучиха. — Певно, я застудилась. Але ж треба працювати!
І Твігі продовжувала роботу, аж поки їй не стало зовсім зле.
— Наша Твігі захворіла! — сполошилися звірята. — Треба її лікувати!
Вони зібрали всі ліки, які тільки змогли дістати, і принесли павучисі. Зміряли їй температуру, заварили чай із цілющих трав і звеліли лягти у ліжко.
Твігі була приємно вражена.
— Дякую, друзі, — розчулено мовила вона. — Завдяки вам я швидко одужаю і знову плестиму для вас чудові теплі речі!

12 Куниця і соловей

— Соловейку-соловейку! Я тебе спіймаю і з'їм, — примовляла куниця, підкрадаючись до гніздечка соловейка.
— Ну чого ти до мене причепилася? — роздратовано запитав соловей. — Дай мені спокій!
Коли куниця добралась до гніздечка, соловейка там уже не було.
— Ти де? — здивувалась вона.
— Я тут! — відповів соловей — він уже літав високо в небі.
— Негайно повернись сюди! — звеліла куниця.
— Ще чого! Щоб ти мене спіймала і з'їла! Краще послухай, як я співаю!
І соловей заспівав. Його пісня була такою гарною й співав він так щиро і зворушливо, що куниця розчулилась до сліз. Вона довго сиділа біля дерева, на якому співав соловей, забувши, що збиралась його з'їсти. А потім озвалась:
— Знаєш, соловейку, я більше тебе не чіпатиму. Ти так гарно співаєш! Я краще буду приходити сюди і слухати твої пісні.

Відтоді вона навіть соловейкове потомство стерегла.

13 Мрійник Марко

Кабанчик Марко любив мріяти, гуляючи лісом, тож коли знаходив суниці, то з'їдав їх сам і забував покликати брата й сестру. Через це вони дуже на нього ображались.

— Я завжди всіх кличу, коли знайду гриби! — сердилась Флора.

— А я завжди кажу, що знайшов картоплю! — додавав Поль.

Марку стало прикро, що він такий неуважний. Він пішов гуляти і раптом натрапив на цілу суничну галявину!

— Цих ягід вистачить на цілу родину! — мріяв він, тим часом наминаючи суниці за обидві щоки.

— Ти знову сам? — запитала в нього білка.

— Ні! — відповів Марко. — Зараз я покличу сюди брата й сестру!

І Марко хутко побіг додому.

— Якщо я приведу Поля і Флору на ту галявину, вони більше не будуть на мене сердитись! — думав він.

І справді — вони так зраділи, побачивши суниці, що пробачили Марку геть усе!

14 Жовте курчатко

У жовтого курчати Ціпи було п'ятеро братиків, але вони були старшими, тож їхнє пір'ячко було вже не жовтим, а сірим. Тому вони постійно дражнили Ціпу:

— Жовтий! Жовтий! Ти схожий на яєчний жовток! Ти не курча!

Ціпа дуже засмутився і пішов від них геть.

Раптом він опинився високо у повітрі. То маленька дівчинка взяла його в руки!

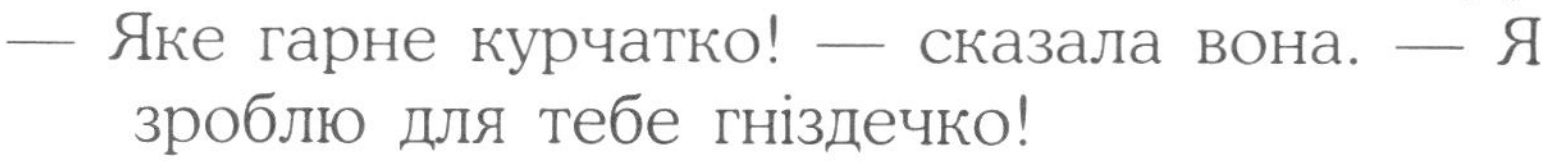

— Яке гарне курчатко! — сказала вона. — Я зроблю для тебе гніздечко!

Вона зробила м'яке гніздечко, посадила туди Ціпу й насипала йому в мисочку смачного зерна. Ціпа був дуже задоволений. Йому не треба було шукати зернята в пилюці, як це робили інші курчата!

Трохи згодом коло його гніздечка проходили сірі курчата.

— О, Жовтий! Та тобі пощастило! — вигукнули вони.

Ціпа вже не гнівався на своїх братів і радо пригостив їх зерном. А ті покликали його гратися і більше ніколи не дражнились!

15 Чому панди чорно-білі

Дуже давно ведмедики-панди були повністю білими. Вони нікого не боялися, бо їх захищав Великий Панда. Але одного разу йому потрібно було поїхати до своїх далеких родичів, і він залишив білих панд.
Ті ж були надзвичайними боягузами і тремтіли від найменшого шелесту!
— А давайте замаскуємось! — запропонувала панда Лулу. — Якщо на нашому хутрі будуть чорні плями, нас не так легко буде помітити!
Тож панди знайшли дерева, на яких було повно чорної смоли. Вони змастилися нею і вкрилися чорними плямами.
Великого Панди не було дуже довго, а панди лісу дуже боялися хижаків і не змивали плями. Так вони й залишилися чорно-білими!
Тому зараз можна зустріти тільки чорно-білих панд, та й вони самі не пам’ятають, що колись були білими!

16 Індик Тадо

Індик Тадо цілісінькими днями кричав. Його мама порадила:
— Кричати треба тільки тоді, коли наближається хтось чужий, щоб його налякати! Усі індики так роблять.
Тадо спробував так робити, але він кричав так голосно, що лякав навіть інших індиків! Усі жителі ферми від його крику повтікали хто куди! Тадо прийшов до мами й запитав:
— Чому всі розбіглися? Мені так сумно...
— Треба було краще вчитися на уроках пані Торі, — відповіла мама. — Піди до неї і попроси, щоб вона навчила тебе правильно кричати!
Наступного дня Тадо пішов до вчительки й вона навчила його правильно кричати.
Тепер Тадо кричав вже не так голосно та й не так жахливо!
Навіть інші індики приходили до нього і просили навчити їх так гарно кричати!
Тадо дуже пишався собою.
— Дякую, пані Торі! — сказав він учительці.

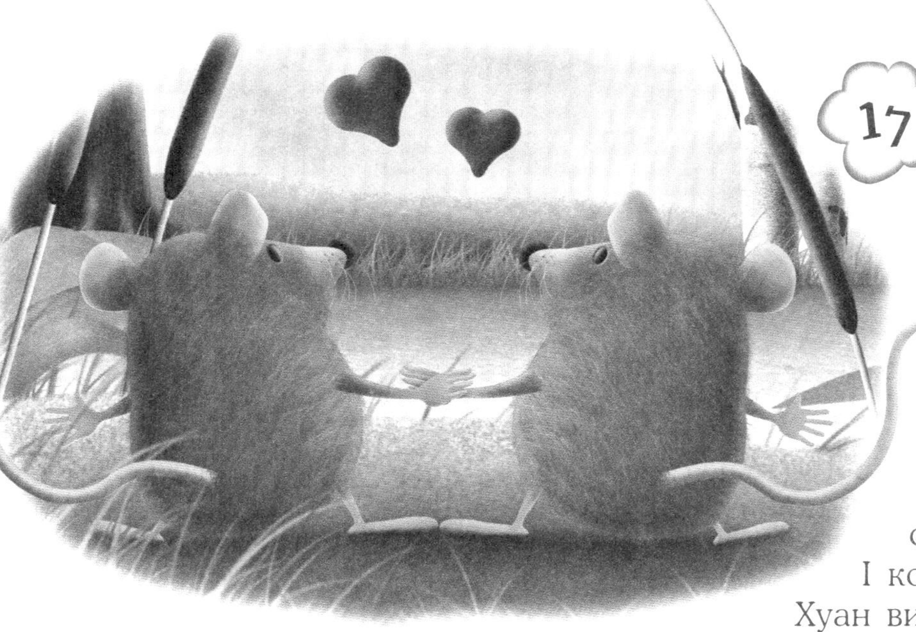

17 Закоханий щур

Щур Хуан вирішив провести відпустку на озері. А в тому озері жила водяна щуриха Анік. Вона радо зустріла Хуана і почала пригощати його смачними стравами. Хуанові це дуже сподобалось! Вони разом їли, плавали, гуляли на березі озера, слухали пісні цвіркунів...

І коли настав час повертатися додому, Хуан вирішив, що не хоче повертатися без Анік. Він закохався в неї!

— Я хочу, щоб ти стала моєю дружиною, — сказав він Анік. — Ти зробиш мене дуже щасливим!

— Але я не можу покинути своє озеро! — вигукнула Анік. — Я не хочу їхати в незнайомий край!

— Не переймайся! Ми нікуди не поїдемо! Я вирішив залишитися з тобою — адже тут так гарно! — відповів Хуан.

Анік з радістю погодилась вийти заміж за Хуана. Вони зіграли весілля й залишились жити на березі озера. І жили вони довго й дуже щасливо!

18 Веселка

Ішов дощ, і все небо було темно-сірим. Мишеня Том вирішило намалювати веселку.

— Щоб намалювати веселку, потрібно сім кольорів, — нагадала йому мама.

— Спочатку фіолетовий колір, — сказав Том. Він намалював півколо на аркуші паперу.

— Тепер синій, блакитний, зелений, жовтий, помаранчевий і червоний! Мамо, я намалював веселку! Правда ж, гарно?

Після обіду Том повернувся, щоб поглянути на свій малюнок, але не знайшов його!

— Де ж він? — ледь не плакав Том.

— Мабуть, він вже на небі! — мовила мама. — Адже дощ скінчився!

Том підбіг до вікна й здивувався:

— Ой, моя веселка!

— Після дощу на небі часто можна побачити веселку! — зауважила мама-мишка. — А ось і твій малюнок! І він так само гарний, як і справжня веселка!

— Тепер, коли йтиме дощ, я завжди милуватимусь своєю веселкою! — вигукнув задоволений Том.

19 Сонечко без крапочок

У сонечка Нелі не було крапочок на крилах! Вона мусила ховатися під листям, щоб інші комахи не глузували з неї. Одного разу її побачила гусінь.

— Ти чого тут сидиш? Ой, та в тебе ж немає крапочок!

— І не нагадуй! Мені так сумно! — трохи не плакала Нелі.

— Але ти краща за колорадських жуків, хоч у них є смужки! — мовила гусінь.

— Дякую, однак мені так хочеться мати крапочки! — зітхнула Нелі.

— У мене є дядечко, який шиє одяг, — може, він нам допоможе! — сказала гусінь і поповзла до дядечка метелика.

— Мені потрібне вбрання сонечка із крапочками, — попросила вона.

— Ти ж скоро станеш метеликом — навіщо воно тобі?

— Це не для мене, а для моєї подруги Нелі — у неї зовсім немає крапочок!

Метелик пошив гарненький костюм із чотирма крапочками. Нелі одягла його й була дуже задоволена — тепер їй не треба ховатися!

Ластівчине гніздечко

Навесні ластівка Шуша повернулася з вирію. Вона сподівалась, що гніздечко, в якому вона росла, ніхто не зайняв. Тому Шуша одразу полетіла до сараю, де колись було її гніздо. Але двері були зачинені! Тоді вона залетіла всередину через віконце.

— Доброго дня! — привіталась вона з ластівкою, яка прибирала одне з гніздечок. — Я шукаю свій дім!

— Добридень. О, то ти донька Мони, — впізнала її ластівка. — Ось твоє гніздо! Я нікому не дозволила його займати!

— Дякую, тітонько, — відповіла Шуша і підлетіла до свого гніздечка.

У ньому вона знайшла багато своїх іграшок. Шуша склала їх у кутку — щоб і її діткам було чим гратися. А потім ретельно прибирала в гнізді, настелила свіжої соломи й сіла, щоб знести яєчка. Вона була дуже щаслива, що знайшла свій дім!

21 Ерік і Руся

Одного ранку білочка Руся прийшла до свого друга Еріка. Той саме прокинувся і збирався поснідати.
— Ой, я так хочу їсти, — позіхаючи, сказав він.
— Я б також з'їла кілька смачних лісових горішків, — відповіла Руся. — Де ти їх зберігаєш?
Ерік подумав, почухав голову і пробурмотів:
— Щось я й не пригадаю, де...
— То для чого ж ховати горіхи, якщо потім не пам'ятаєш, де їх сховав? — здивувалась Руся.
— Ходімо, щось покажу, — запропонував Ерік.
Він привів Русю до заростів ліщини.
— Бачиш, скільки тут горіхів? Тато показав мені це місце! Тому я завжди маю горіхів удосталь, навіть забуваю, де їх ховаю!
Руся була вражена.
— Ой, скільки ж їх тут! Еріку, а можна я теж буду іноді сюди приходити і збирати горішки?
— Звісно, приходь! Мені зовсім не шкода, — відповів Ерік. — Ми ж друзі!

22 Байбаки прокинулись!

Байбачиха Люсі прокинулась від дивного гуркоту. Вона чимдуж кинулась до своєї сестрички Мо.
— Мо, щось гурчить! Я так боюся! Що це може бути? — перелякано запитала вона.
— Та дай мені поспати, — буркнула Мо, вкрилася пухнастим хвостиком і знову заснула.
Але гуркіт не припинявся, тому Люсі вирішила відчинити вікно й визирнути на вулицю. А там було так сонячно! Промінчики аж засліплювали!
— Мо! Мо! Прокидайся — весна прийшла! Годі спати! — почала будити сестру Люсі. А ще вона зрозуміла, що дивний гуркіт — це просто бурчання в животі. Вона ж не їла цілу зиму, поки була у сплячці!
Люсі винесла надвір невеличкий столик, стільчики й тарілку зі смачним насінням.
— Смачного, сестричко, — мовила вона до Мо. — Скоро підемо полювати на коників! Як же добре, що вже настала весна!

23 Піраміда з видр

На річці жило багато-багато видр. І от одного разу вигадник Пак запропонував своїм друзям цікаву розвагу.

— Давайте влаштуємо справжній атракціон! — мовив він. — І запросимо батьків подивитися.

— Мабуть, це буде весело! — вигукнула маленька видра Лоло, аж підстрибуючи від нетерплячки.

Пак розповів друзям про свою ідею, і вони згодились взяти участь в атракціоні. Видри потренувалися як слід і призначили день розваг. Усі батьки-видри всілися на бережку.

— Зараз ви побачите справжню піраміду! — оголосив Пак.

Раз-два-три! Маленькі видри почали видиратись одна на одну, утворюючи трикутну піраміду!

— Підійдіть-но ближче, — звернувся Пак до глядачів. Ті наблизились до води, аж раптом... Плюх-плюх-плюх — усі видри попадали в воду і забризкали всіх довкола! Оце так атракціон!

24 Зозулі та соловей

Одного разу зозулин чоловік натрапив на порожнє гніздечко.

— Я знайшов неподалік порожнє гніздо! — звернувся він до дружини.

— Летімо туди!

Та зозуля завагалась:

— А може, то чиєсь гніздо? Я не хочу займати чужий дім! Давай краще зів'ємо власне гніздечко!

Трохи посперечавшись, вони таки полетіли до гніздечка і зручно в ньому вмостилися.

І як же вони здивувалися, коли за кілька хвилин туди прилетів соловейко.

— А що це ви тут робите? — грізно запитав він.

— Ой, вибач, ми помилково сюди потрапили... — стала виправдовуватись зозуля. — Сіли перепочити, перш ніж вити власне гніздо!

А чоловік зозулі дуже розгнівався, бо йому лінькі було трудитися — адже набагато краще зайняти чиєсь готове гніздечко й сидіти в затишку. Але зозуля таки вмовила його взятись за роботу. Скоро вони мали своє гніздо і навіть потоваришували зі своїм сусідом-соловейком.

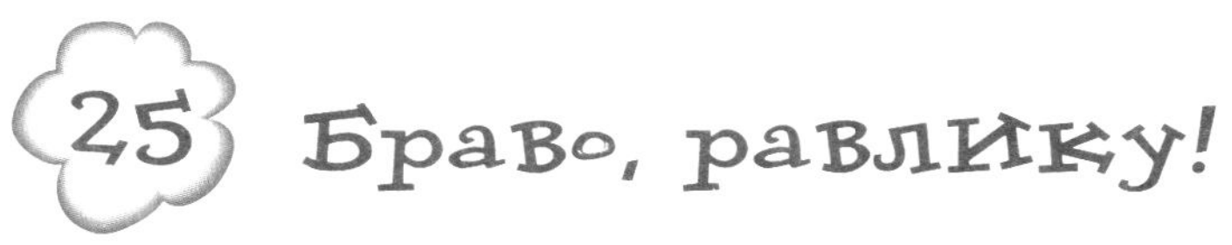

25 Браво, равлику!

— Діти, надворі дощ! Ходімо гуляти! — гукнув зранку тато-равлик.
— Ура! — Зраділи равлики-близнюки. — Гей, Рамоне, збирайся швидше, бо й до обіду нас не наздоженеш.
Рамон був найповільнішим із равликів, тому брати й сестрички постійно над ним підсміювалися.
— Нічого, я теж над вами посміюсь! — подумав він. І того ж дня, коли всі вирушили на прогулянку, Рамон змастився олією.
— Ну от! Зараз я вас усіх наздожену! — вигукнув він.
Вж-ж-ж-ж! Равлик ковзав по дорозі, немов на ковзанах! Він так швидко мчав, що незчувся, як наздогнав усю компанію біля озера! Навіть обігнав її!

— І довго я маю вас чекати? — запитав він у равликів-близнюків. — Ви такі повільні!
Ніхто так і не здогадався, як Рамон зміг так швидко дістатися до озера. Відтоді брати і сестри його більше не дражнили!

26 Поросятко Симон

Одного разу поросятко Симон вирушило на прогулянку зі своїми друзями.
Вони йшли лісом, і Симон крутив головою на всі боки — то на пташку задивиться, то біля квітки зупиниться…
— Добридень, метелики! Добридень, пташки! — вітався він.
І незчувся, як загубився.

— Агов! Друзі, де ви? — в розпачі почав гукати він.
— Симо-о-о-не-е! — тим часом кликали його друзі.
Симон став під великим деревом і гірко заплакав.
Там його й побачила старенька сова Чупі.
— Стій тут, а я пошукаю твоїх друзів і скажу їм, де тебе знайти! — сказала вона.
Незабаром Симон побачив своїх друзів, яких вела добросерда сова Чупі.
Він розкрив свою торбочку зі смачними наїдками й запропонував їм разом пообідати, щоб відсвяткувати його порятунок!
— Як смачно! — хвалили Симона друзі. — Та головне — добре, що ти знайшовся, бо ми дуже хвилювались!

27 Жук-тренер

Жук Фредо працював тренером — він навчав маленьких жучків ходити по тоненькій дротині. Коли вони виступали, глядачі були в захваті!

— Як вони тримають рівновагу! — захоплювались усі. Але жучок Урсу постійно наїдався цукерок перед тим, як ходити по дротині. Одного разу він наївся так, що не втримався і впав із дротини у траву. Фредо одразу ж покликав його до себе.

— Не можна так робити, — сказав він. — Припини їсти цукерки, якщо хочеш виступати! Ти стаєш надто важкий, і через тебе й інші жучки можуть упасти.

Урсу дуже засмутився, бо не міг без солодкого. Фредо теж не було чого радіти — адже Урсу був його улюбленим учнем!

— Ти будеш мені допомагати! — вирішив він. — Просто даватимеш команди, стоячи на землі!

Відтоді вони працювали разом — Фредо навчав жучків тримати рівновагу, а Урсу керував ними.

28 Кучерява овечка

Овечка Колет була дуже невдоволена своєю зовнішністю. Її вовна була жорсткою й прямою, а не кучерявою, як це має бути! Адже всі вівці кучеряві, чому ж вона прямошерста?

— Треба сходити до перукаря, — якось вирішила вона.

Але в перукаря були щітки й гребінці лише для того, щоб випрямляти волосся, а не завивати його...

— Я хочу бути кучерявою! — тупнула копитцем Колет. — Хочу бути гарною!

— Раджу тобі звернутися в галантерейний магазин, — сказав перукар. — Там продаються котушки ниток, на які можна намотати вовну.

Колет послухалась поради і попрямувала в магазин, де справді були чудові котушки. Продавець змушений був перетворитися на перукаря: він змочив вовну овечки і накрутив її на котушки.

Трохи згодом Колет зняла котушки — вона була кучерява! А продавець відкрив невеличкий салон краси, де робив усіх охочих кучерявими.

29 Басейн для тюленів

Одного разу в холодній далекій Антарктиці сталась незвичайна подія. На льоду спинились сани, в яких поважно сидів тюлень Лу. Він узяв рупор і оголосив на всю округу:

— Увага! Увага! Пані та панове! У мене є для вас чудова новина!

Всі тюлені — й великі, й малі — облишили свої справи і попрямували до Лу. Вони поспішали, щоб нічого не пропустити, при цьому кожен намагався стати якомога ближче.

— Не штовхайтесь, — стримували малюків старші тюлені. — Всім буде гарно видно і чути!

Лу трохи зачекав, поки слухачі втихомирились, а потім продовжив:

— Ця новина сподобається вам усім: он за тією крижиною скоро буде відкрито басейн із теплою водичкою. Там можна буде купатися, відпочивати і ласувати смачною рибкою. Запрошую вас усіх! Вхід вільний!

30

Лілі та її подруги почали радісно аплодувати. Ще б пак — купатися в теплій воді — та про це можна тільки мріяти!

— Тепер нам не буде холодно! — говорили тюлені. — Ми більше не будемо схожі на бурульки! А може, біля басейну ще й пальми вирощуватимемо?

Відтоді тюлені неохоче заходили в холодну воду. Всі чекали на відкриття басейну. Нарешті настав довгожданий день. З самого ранку всі тюлені вишикувалися у чергу перед басейном. Тут була й Лілі з подружками, які аж підстрибували від нетерпіння.

Але раптом Лілі стало боязно: хто знає, як там буде, в тому басейні!

— А якщо вода надто гаряча? Раптом я обпечуся? — думала вона.

Тому Лілі вирішила пропустити перед собою своїх подруг і подивитись, як вони плаватимуть...

31

Подружки Лілі зовсім не боялись. Вони стрибнули в теплу воду басейну і аж завищали від задоволення. А потім почали пірнати і спускатися з гірки, щоразу гукаючи:

— Ой, як добре! Водичка така тепла!

— Лілі, ходи до нас! — кликали вони подругу.

Нарешті Лілі зважилась. Вона розігналась і стрибнула у воду. Їй було трохи боязко і дуже незвично стрибати в басейн, тож вона й не помітила, як у польоті виконувала різні складні фігури!

— Браво! Браво! Лілі молодець! — зааплодували тюлені. — Ти так гарно стрибнула! Ми теж так хочемо.

Лілі й сама не знала, як у неї вийшло так гарно стрибнути. Але вона не зізналася в цьому подружкам, а пообіцяла, що навчить їх так само стрибати. Вони ж пообіцяли, що приноситимуть їй за це найсмачнішу рибу!

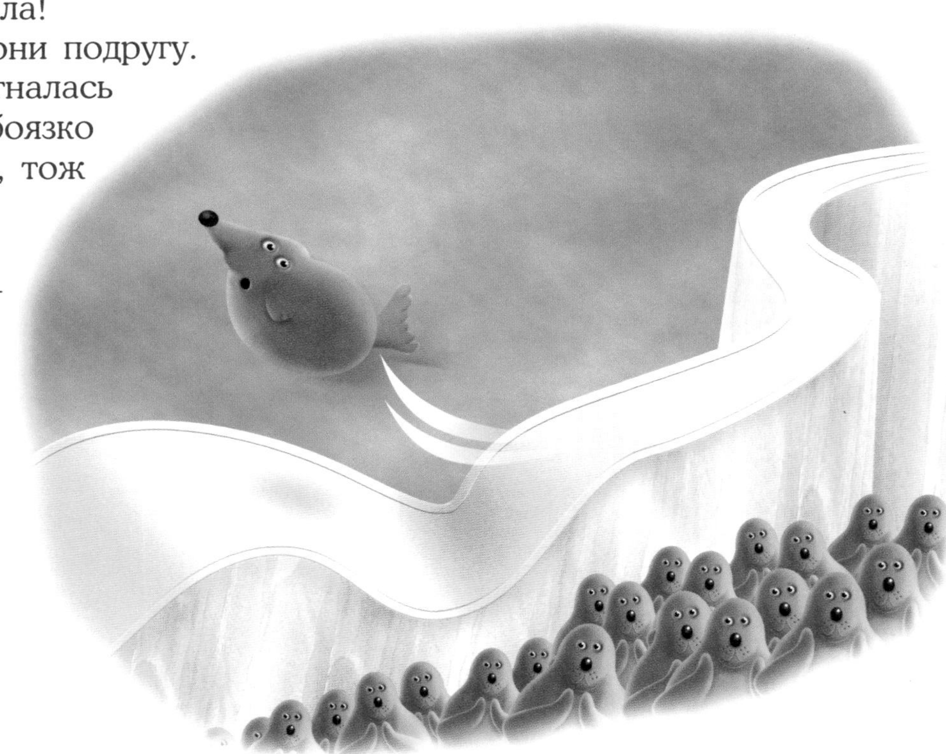

Першоквітневий жарт

— Що це сьогодні діється у школі для макрелей? Маленькі рибки перешіптуються, щось обговорюють і сміються! Перше квітня — ось що це! День жартів та розіграшів!

Рибки вирішили розіграти свою вчительку — пані Болеро. Вона була дуже сувора, змушувала їх учити всі уроки й бути уважними.

— Давайте на перерві придумаємо, як це зробити! — запропонував Мате.

— Дзінь! Дзілінь! — задзеленчав дзвоник і почалася перерва.

Рибки заховалися у порожньому класі. Мате дістав тюбик із червоною фарбою і намалював на животиках друзів червоні плямки.

— А вони хоч змиються потім? — переживав Люк. — Бо мої батьки сваритимуть мене, якщо побачать у такому вигляді.

— Та звісно! Через півгодини і сліду не лишиться! Ця фарба довго не тримається, — запевнив Мате.

І от усі рибки вкрилися червоними плямками...

— Дзінь! Дзілінь! — знову задзеленчав дзвоник.

— Біжімо на урок! Посідаємо за парти й будемо робити вигляд, ніби ми хворі! — вигукнув Мате.

— Хоч би нас не покарали, — засумнівався Люк. Рибки терпляче чекали на вчительку. Нарешті пані Болеро зайшла до класу.

— Ой! — злякано скрикнула вона. — Що це з вами? Що сталося?!

— Щось нам недобре, — мовив Мате. — І животики болять. Мабуть, водорості на обід були не дуже свіжі...

Пані Болеро чимдуж помчала до медсестри пані Пік й покликала її у клас. Коли медсестра побачила плямистих рибок, то теж злякалась.

— Мабуть, це щось серйозне! — припустила вона. — Я викличу швидку допомогу і відвезу вас усіх до лікарні!

— Не треба до лікарні! — загукали рибки. — Ми здорові, просто вирішили пожартувати! З першим квітня!

3

Люк подумав, що їх покарають, але обійшлося...

— Хутко вимийте животи — і за парти! — тільки й сказала вчителька. — І щоб я більше такого не бачила!

Хто б міг подумати, що пані Болеро та пані Пік теж захочуть пожартувати!

На уроці рибки добре поводились, були уважні, й учителька запропонувала їм попливти на екскурсію до скелі Старої Акули.

— А там є акули? — тремтячим голосом запитав Люк.

— Звісно, що ні, — впевнено відповів Мате. — Зате біля скелі можна буде пограти в піжмурки!

І ось вони вирушили на екскурсію. Всім було дуже весело й цікаво. Навіть Люк вже не боявся!

А от пані Болеро та пані Пік раптом десь зникли!

Мате та інші рибки почали їх шукати. Вони оглянули все довкола, зазирнули у всі шпаринки, але марно! І раптом з-за скелі з'явилися дві величезні пащеки! Акула і кит!

— Допоможіть! Ай! Ой! Пані Болеро! — загукали нажахані рибки.

— Та це ж ми, — засміялися пані Болеро та пані Пік, знявши маски кита й акули. З першим квітня! Ми також пожартували!

Відтоді рибки були дуже обережні з жартами!

4 Муха Міня

Мушка Міня дуже любила солодке. Подруги говорили їй, що це не корисно, але Міня на те не зважала. І от одного разу вона побачила на столі цілий горщик малинового варення!

— З-з-з! З-з-зараз покуштую, — задзижчала вона.

— Ой, як смачно! — і Міня занурила у горщик одну лапку. Потім вона засунула туди другу лапку, а тоді й решту — і загрузла у варенні!

— Допоможіть! Я не можу вибратись! — у розпачі гукала Міня.

— З-з-з! З-з-з! — задзижчали її подруги. Добре, що вони крутилися неподалік і все чули! Мушки схопили нитку, що лежала на столі, й простягли її Міні.

— Хапайся! Ну ж бо, швидше!

— Тягніть! — крикнула Міня, і подружки витягли її з липкого варення.

— Навіть не знаю, як вам дякувати! Я вже думала, що й не виберуся звідти!

— Та будь ласка. Тільки не лізь більше у варення — бачиш, що може трапитись, — порадили мушки.

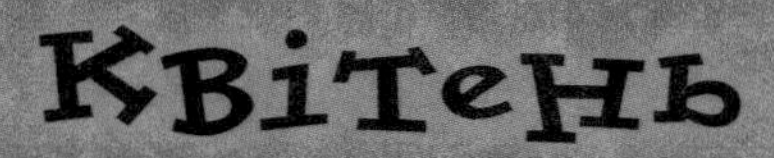

5 Мудрий бобер

Бобер Гектор — майстер на всі руки. Що завгодно з дерева зробити може! А ще він був наймудрішим з-поміж усіх бобрів. От вирішив він звести новий дім для своєї родини.

— Я збудую найкращу в світі хатинку, — пообіцяв він бобрисі.

Гекторові навіть сокира та пилка не потрібні були. Він будь-яке дерево чи гілку міг легко перегризти зубами. «Хруп! Хруп!» — тільки й чути на річці. Бобер працював без відпочинку! Гектор звалив уже два дерева для будівництва, коли раптом почув дивний шум. На річці піднялися великі хвилі.

— Мабуть, це якесь чудовисько, — злякано вигукнув бобер. — Треба захистити моїх малят!

У цей час до нього підбіг один молодий бобер.

— Там пливуть якісь білі залізні чудовиська! Мабуть, вони небезпечні, — закричав він.

І тут Гектор усе зрозумів.

— То не чудовиська, а моторні човни! А їх можна не боятися — вони не завдадуть шкоди бобрам, як і ми їм, — відповів мудрий бобер-будівельник.

6 Свято для багатоніжки

Багатоніжка Пірі сумувала — в селищі мало відбутися свято, а вона не могла піти на нього...

— У мене все взуття зносилося! — жалілась вона. — А купити нове не можу, бо не маю стільки грошей... Та ще й ніг у мене так багато!

А тим часом усі готувалися до свята. Але й про багатоніжку не забули, а навіть придумали, як їй допомогти!

Вранці Пірі почула під дверима чиїсь кроки. Багатоніжка підійшла до дверей і відчинила їх.

— Ой! Це ж треба! Яка краса! — вигукнула вона.

Біля дверей лежала ціла купа різного взуття — і черевички, і сандалики, і кросівки — усе, що завгодно!

— Швиденько взувайся та ходімо з нами на свято, — сказали задоволені жителі селища. — Воно от-от розпочнеться!

Багатоніжка була щасливішою, ніж будь-коли у своєму житті. Адже тепер вона могла танцювати разом з усіма, та ще й у новому взутті!

7 Плямиста Момо

— І чому я така негарна? — зітхала перед люстром жабка Момо.
Момо не подобались плями на її тілі, тому вона вирішила піти до чаклунки, щоб та допомогла їх позбутися.
— Крекс-пекс-фекс! — вигукнула чаклунка і змахнула чарівною паличкою. Момо поглянула на своє відображення в воді. О ні! Вона стала червоною і була вся вкрита чорними цяточками! Тепер Момо була схожа на велетенське сонечко! Видно, чаклунка помилилась... Момо засмучено почалапала додому.
— І як мені тепер жити? — журилась вона.
Біля озерця Момо вже чекала чаклунка. Коли жабка стала червоною в цяточку, чаклунка зрозуміла, що зробила щось не так, і поспішила до озерця, аби виправити свою помилку. Вона змахнула чарівною паличкою, щось пробурмотіла — і Момо знову стала зеленою плямистою жабкою.
— Ура! — зраділа Момо. — Я знову зелена! І мені вже подобаються мої плямки!

Ласкаво просимо до вулика!

Одного весняного дня бджола-королева скликала усіх бджілок, які мешкали у вулику, на загальні збори.
— Ви погано працюєте! — дорікнула вона бджілкам. — Деякі з вас просто літають і забувають про те, що потрібно збирати з квітів нектар, щоб потім зробити мед.
— Так, звісно! Треба працювати краще! — вигукнула бджілка Чопі. Почувши це, бджілка Сюзі розсердилась. Ну чому ця Чопі постійно підлизується до королеви?
— Як вона мені набридла! — подумала Сюзі. — Невже не можна хоч раз промовчати!
Наступного дня Сюзі, як завжди, полетіла на луки збирати з квітів нектар, але раптом почала чхати! Вона чхала і чхала й не могла з тим нічого зробити! Який жах!

Сюзі дуже засмутилась. Вона не могла працювати, бо чхала, щойно відчувала аромат квітів. Бджілка сіла на травинку й заплакала.
— Привіт, Сюзі! Ти чому плачеш? — раптом почула вона. Це був джміль Джей.
— Я не можу працювати, — поскаржилась Сюзі. — А до вечора треба зібрати нектар і принести його у вулик...
Джей трохи подумав і продзижчав:
— У мене є чудова ідея. Я можу зібрати нектар замість тебе!
— Але що скаже на це бджола-королева? — знітилася бджілка.
— Не бійся, все буде гаразд. Я завжди мріяв попрацювати у вулику. Нарешті моя мрія здійсниться!
Сюзі зраділа — як добре, що Джей прийшов їй на допомогу! А вона тим часом зможе полікуватись. Джей старанно працював цілий день і ввечері прилетів до вулика, аж напханий нектаром.
— Молодець, Джей! — похвалила його бджола-королева. — Ти зібрав найбільше нектару! Тепер ми можемо приготувати мед!
Відтоді Джей працював у вулику. І в нього виходило навіть краще, ніж у бджілок. Джей став справжнім чемпіоном зі збирання нектару!

10 Єнот-полоскун

Маленький єнотик Ракун ретельно мив овочі та фрукти на березі річки. Він мив їх дуже довго, і скоро робота перетворилась на забавку. Вже його мама не витримала й почала кликати сина.
— Та годі вже, не бався! — гукнула вона.
— Час обідати. Овочі й фрукти втратять свій смак, якщо їх так довго мити!
Але Ракун на те не зважав і мало не жонглював обідом у воді.
Раптом усе вислизнуло з його лапок і попливло за водою!
Єнот стрибнув у воду, щоб наздогнати свій обід, але було надто пізно. Коза саме пила воду на протилежному березі. Побачивши «плавучий» обід, кинулась до нього і все проковтнула! Тож єнотові довелося повертатися додому ні з чим. Ох і сварила Ракуна мама! Він згадав, як тато колись казав: «Що занадто, то не здраво». Тепер маленький єнот розумів, що тато мав на увазі.

11 Собака і блохи

Нану — старий собака. Уже давно в його шерсті живуть троє бліх — Луїза, Лілі та Лу. Нану постійно чухається, щоб позбутися бліх, але марно. Одного разу, коли він ніжився на сонці, до його бліх прийшли подружки. Такої наруги Нану вже не міг стерпіти. Він почав так чесатись, що блохи не витримали.

— Може, годі вже? — обурились вони. — Скільки можна чухатись?

— Нічого собі! — відповів Нану. — Ви живете в моїй шерсті та ще й насмілюєтесь мені щось казати! — здивувався він.

— Але ми ж так звикли до тебе, — ледь не плакали блохи. — Куди ж нам подітися, ми ж тут так давно живемо!

Раптом до Нану підійшла його хазяйка.

— Ой, Нану, та в тебе, мабуть, ціла купа бліх! Ану, ходімо митися! Хутко!

Але Нану одразу ж утік. Він не любив бліх, але ще більше не любив митися.

Нану сховався в сарайчику й почав просити бліх:

— Будь ласка, облиште мене!

Потім став сердитись:

— Ідіть геть! Ви мені обридли! Інакше...

— Гаразд, не гнівайся. Ми поїдемо звідси завтра ж...

Наступного дня Луїза, Лілі і Лу зібрали валізи. Але їхні подруги, які приходили до них у гості, залишились.

Зрозумівши, що блохи в нього таки є, Нану ще дужче розсердився:

— Я думав, що ви поїхали!

— Любий господарю! — почувся тихий голос. — Вони й справді поїхали, але залишили цей дім нам! Доведеться тобі до нас звикати!

Нану просто розлютився — він зрозумів, що блохам вірити не можна!

Раптом він знову почув, як до нього йде хазяйка.

— Та в цього собаки ціла купа бліх, — знову вигукнула вона. — Нану, ану хутко митися!

Цього разу Нану довелося підкоритись, хоча митися він не любив ще більше, ніж бліх!

13 Ліниве телятко

Телятко Джек народилося лише тиждень тому. Джек дуже гарненький, білий з коричневими плямками. Але він такий лінивий!

— Джеку, вставай! — сказала мама.

— Всі давно пішли пастися на лужок. Там така свіжа зелена травичка.

Але Джек і не думав вставати. А навіщо? Травичка — це ж так сумно!

Усі корови зібралися навколо нього:

— Та вставай уже, годі лежати! — мукали вони.

Але телятко не хотіло.

— Гарний, але ж який лінивий, — перешіптувались корови.

Джековій мамі стало соромно за свого сина.

Аж тут до Джека підбігла маленька Лолі.

— Ти підеш зі мною гратися до річки? — запитала вона.

Джек схопився на ноги.

— Звісно, піду! — гукнув він. — Ура!

З того часу Джек не лінувався, бо в нього була подружка, з якою вони гралися на лужку!

14 Поні Харві та місяць

Маленький поні Харві був дуже допитливий. Він усюди пхав свого носа! Навіть уночі не лягав спати, а гуляв, сподіваючись побачити щось цікаве.

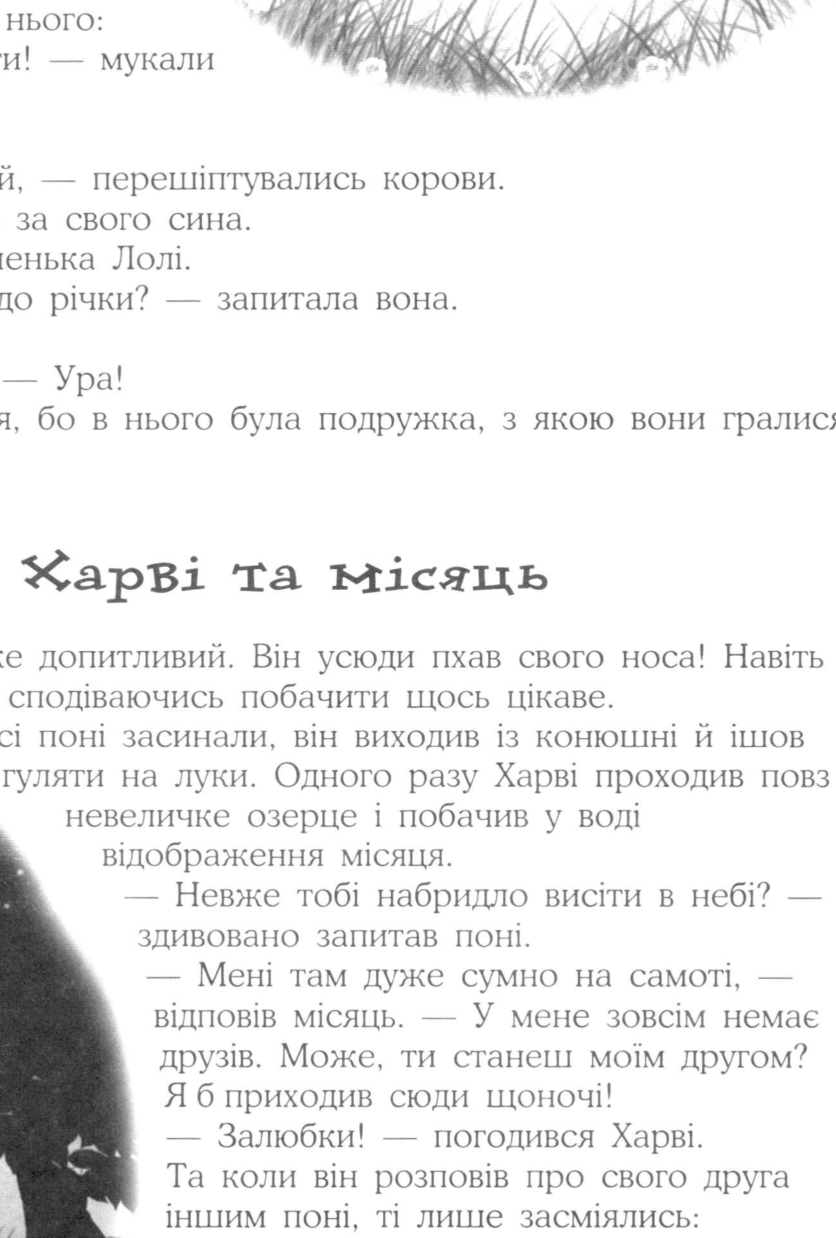

Коли всі поні засинали, він виходив із конюшні й ішов гуляти на луки. Одного разу Харві проходив повз невеличке озерце і побачив у воді відображення місяця.

— Невже тобі набридло висіти в небі? — здивовано запитав поні.

— Мені там дуже сумно на самоті, — відповів місяць. — У мене зовсім немає друзів. Може, ти станеш моїм другом? Я б приходив сюди щоночі!

— Залюбки! — погодився Харві.

Та коли він розповів про свого друга іншим поні, ті лише засміялись:

— Мабуть, тобі все це просто наснилося!

Але Харві знав, що в нього є справжній друг, який чекатиме на нього ввечері. Тому він не зважав на інших.

15 Джміль Івон

Усі жителі луки вважають джмеля Івона чарівником.
І ось чому.
Одного дня Івон разом із друзями полетів збирати пилок з конюшини, що росла на луці. Але в нього був поганий зір, тому він пролетів далі й замість конюшини натрапив на чудові орхідеї!
Коли джміль Івон повернувся, він був весь вкритий пилком, але то був пилок з орхідей!
Пізно ввечері він ще довго літав лукою і сипав пилок на квіти конюшини...
А наступного ранку сталося справжнє диво!
— Ой! Як же гарно! — вигукнули всі жителі луки.
Конюшина розквітла кольоровими орхідеями!
І тепер, коли десь поблизу з'являється Івон, усі починають перешіптуватись:
— Ви знаєте, хто то? То Івон — великий чарівник! Він уміє перетворювати квіти конюшини на орхідеї!

16 Гарненька гусінь

Гусінь Рамона вважала себе негарною. Вона звернулась до хруща:
— Мені здається, я негарна! А ти як гадаєш?
— Та ні, — заперечив хрущ. — Ти дуже симпатична гусінь!
Тоді Рамона запитала у бджілки Сюзі:
— Я зовсім негарна, правда ж? І ці негарні вусики на голові... вони так мені не подобаються!
— Дурниці! Ти гарненька! — відповіла бджілка.
А муха Міні додала:
— Потерпи трохи, завтра ти побачиш справжнє диво!
Рамона й заснути не могла — усе думала, яке ж диво має статись. Швидше б уже те завтра...
А коли зійшло сонце, вона відчула, що змінилась. Рамона поглянула в дзеркало й побачила, що перетворилася на чарівного метелика. І такого гарного!
— Невже це я? І невже я така гарна? — захоплено вигукнула вона.
Просто Рамона раніше не знала, що гусінь перетворюється на метелика!

Півень-командир

Півень Ерік був новачком у курнику. Він мав красивого барвистого хвоста, гарно співав, але дуже вже любив командувати!

Коли заходило сонце, він голосно гукав:

— Ану, всім спати! По місцях!

А коли сонце тільки сходило, він кукурікав:

— Підйом! До роботи! Хутчіш!

Нарешті й курям, і курчатам це набридло.

— Скільки можна це терпіти? — обурювалась курка Соло. — Треба його провчити.

І якось увечері, коли Ерік прокукурікав відбій і повернувся до курника, то побачив, що там нікого немає — ані курки, ані курчати! Куди ж вони всі поділися?

Вранці курей так само не було. Бідолашний Ерік у розпачі кинувся шукати їх, і знайшов усіх жителів курника аж біля озерця.

— Ми повернемося до курника, якщо ти пообіцяєш не будити нас так рано, — сказала Соло.

Ерік з радістю погодився — він був дуже щасливий, що знайшов своїх друзів!

Голуб і ластівка

Одного дня, сидячи високо на дротині, голуб Піт познайомився з ластівкою на ім’я Дора.

— Ти така стомлена, — зауважив він. — Мабуть, прибула із далекої подорожі?

— Так, я щойно повернулася з вирію, з теплих країв! — відповіла Дора. — Летіли з друзями цілих три дні! Тому я справді трохи втомилася.

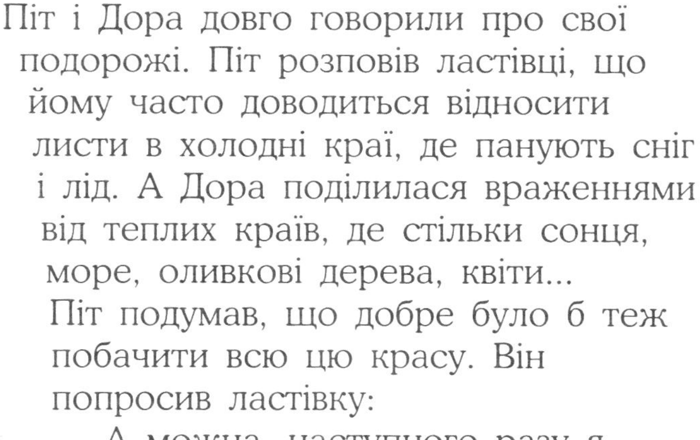

Піт і Дора довго говорили про свої подорожі. Піт розповів ластівці, що йому часто доводиться відносити листи в холодні краї, де панують сніг і лід. А Дора поділилася враженнями від теплих країв, де стільки сонця, море, оливкові дерева, квіти...

Піт подумав, що добре було б теж побачити всю цю красу. Він попросив ластівку:

— А можна, наступного разу я полечу з тобою у вирій? Я теж хочу тепла і сонця!

— Гаразд! — погодилась Дора. — Разом веселіше! Ми гарно відпочинемо!

19 Доріс любить спати

Одного разу скунсиха Доріс зателефонувала своїй подрузі Жоржеті й запросила її в гості.

— Я прийду, якщо ти не спатимеш, — відповіла Жоржета. — Бо коли б я до тебе не прийшла, ти завжди спиш.

— Я не буду спати, слово честі, — пообіцяла Доріс.

Наступного дня з самого ранку Доріс почала готувати смачний обід, потім вирішила прибрати, щоб Жоржета її похвалила. Вона заходилась підмітати, мити, прикрашати своє житло... Незабаром у нірці стало чисто й затишно, на столі стояв готовий обід. Тож Доріс вирішила сісти у крісло і трішечки перепочити, поки прийде подруга. І незчулася, як заснула!

Трохи згодом до дверей нірки підійшла Жоржета. Вона стукала-стукала, та їй ніхто не відчиняв. Доріс солодко спала!

— І так завжди, — незадоволено мовила Жоржета. — Ось що значить мати подружку-соню!

І Жоржета пішла додому.

20 Смачний сир

Щурик Тру мріяв приготувати найсмачніший у світі сир. Він узяв у бібліотеці всі книги, де описувалось приготування сиру.

— Я буду першим щуром у світі, який приготує сир! До того ж це буде найкращий сир, — гордо повідомив він своїм друзям. — І я завжди матиму що їсти!

Але спливав час, а в нього нічого не виходило. Тру був у відчаї. Він пробував усе нові й нові рецепти, але щоразу сир виходив дуже несмачний. Що ж робити?

Одного разу до нього прибіг його брат Трі.

— У мене є ідея! — гукнув він з порогу. — В селі збудували справжню сироварню. Там роблять різні види сиру. Може, влаштуємося туди на роботу?

Тру прихопив із собою всі книги з рецептами приготування сиру й разом із Трі вирушив на сироварню. Там щурики влаштувалися на роботу і навчилися робити дуже смачний сир.

Рибка Няв

Рибка Няв плавала у морі. Коли рибку запитували, як її звати, вона відповідала:
— Няв!
І одразу всі риби від неї тікали щодуху. Няв намагалася їх наздогнати, але марно — вони ховалися в маленьких щілинках скелі й довго не випливали звідти.
Одного разу великий морський окунь запитав у неї:
— Рибко, як тебе звати?
— Няв! — відповіла рибка.
— Яке дивне ім'я! Зрозуміло, чому риби від тебе тікають — адже всі ми боїмося котів. А коти, як відомо, кажуть «няв».
— Жах! — засмутилася Няв. — Треба сказати всім, що я не кіт і не завдам їм шкоди.
Няв підпливла до скелі й крикнула:
— Послухайте, риби, я така ж, як і ви! А якщо вам не подобається, як мене звати, то придумайте мені нове ім'я.
Почувши це, риби визирнули зі своїх схованок. До того ж вони зрозуміли, що кіт не зміг би жити у воді. Відтоді Няв мала купу друзів!

Зела йде в оперу

Страусиха Зела зібралася в оперу — послухати музику.
Але дорогою вона помітила, що її боа — гарненька накидка з пір'я — десь зникло.
— Без боа мене не пустять до опери! — засмутилась вона.
Зела почала шукати свою накидку, але її ніде не було. Тоді вона вигукнула:
— У мене вкрали боа!
Страусиха здійняла такий галас, що навколо неї зібрався цілий натовп.
— Що вона шукає? — запитав один страус.
— І куди це вона зібралась? — додав інший.
А хтось відповів:
— Вона шукає своє боа, щоб піти в оперу!
Один із птахів змахнув крилом, кличучи Зелу до себе.
— Що таке? — роздратовано запитала та.
— Пані Зело, та не крали у вас вашого боа! Он воно теліпається на одному з ваших крил.
Ніхто навіть не встиг помітити, як Зела почервоніла від сорому, так швидко вона сховала голову в пісок... А в оперу вона не потрапила, бо спізнилася.

23 Ведмеді-спортсмени

Ведмідь Сумо чекав на своїх друзів-ведмедів. Він був дуже лінивий і ніколи нічого не робив, тільки мед їв. Тому й був товстеньким.

Нарешті до нього прийшли Лулу і Грізон.

— Сумо! Давай влаштуємо змагання з бігу. Приз — горщик меду, — запропонували вони.

— Гаразд, — погодився Сумо, бо від меду він ніколи не відмовлявся.

Усі троє стали в рядок.

Пролунала команда, і ведмеді чимдуж побігли до фінішу.

Першою прибігла Лулу, одразу за нею — Грізон. А Сумо, який був надто важкий, ледве лапами перебирав!

Лулу, яка виграла мед, покуштувала його і пригостила ним Грізона. Мед був дуже смачний. А коли нарешті прибіг Сумо, в горщику майже нічого не лишилося.

— Тут є одна ложечка, — посміхнулась Лулу. — Але, мабуть, для такого спортсмена і цього досить!

24 Кольорові омари

Усі омари, що живуть у морі, — блакитного кольору. Але Колет чомусь стала рожевою.

— Мабуть, тебе зварили, — підсміювався над нею Фарі.

— Та ні, — заперечувала Колет. — Просто я перегрілася на сонці, от і все. За кілька днів знову буду блакитною.

Але Фарі їй не повірив. Того ж дня вони вирушили на прогулянку в парк водоростей. І раптом побачили там мисливця на омарів!

— Швидше ховайся, Фарі! — гукнула Колет.

— А як же ти? — запитав той.

— А мені чого боятися? Люди ловлять свіжих омарів! А через мій рожевий колір він подумає, що я вже зварена, як і ти думаєш!

Мисливець навіть не подивився на Колет. А Фарі тим часом заховався у шпаринку в скелі.

— Дякую, Колет, що врятувала мене, — сказав Фарі. — Я міг загинути!

Він запросив подругу до себе на вечерю, і вони весело провели час. А за кілька днів Колет знову стала блакитною.

25 Качка-жонглер

Одного разу качка Клара повернулася до свого гнізда і не знайшла там яєць. Вони зникли! Вона почула дивні звуки неподалік і чимдуж побігла туди. І що ж вона побачила? Качка Лі підкидала яйця в повітря, намагаючись ними жонглювати! Усі знали, що Лі просто обожнює цирк і мріє стати справжнім жонглером. Але качки не хотіли, щоб їхні яйця постраждали! Тому наступного дня всі качки зібралися на подвір'ї.
— Лі небезпечна! Потрібно заборонити їй наближатися до наших гнізд. Адже коли вона підкидає яйця, якесь із них може впасти і розбитися. І каченя загине!
Лі попросила пробачення у товаришок і пообіцяла більше не чіпати яєць.
Дивина, але всі каченята, які вилупилися з яєць, якими жонглювала Лі, були надто активними. Вони бігали, стрибали, бешкетували... Може, коли Лі відкриє свій цирк, то будуть перші її артисти?

26 Допитливий Бі

Козеня Бі було надто допитливим і хотіло скуштувати все-все, що тільки можна! Звісно, найбільше Бі любив молоко своєї мами — кози Бетті, але йому здавалося, що і їжа поросят була смачною, і зерно для курочок...
— Ти маєш вибрати щось одне, — казала йому мама. — Якщо ти їстимеш геть усе, то станеш величезним і не зможеш гратися з друзями на луці!
Але Бі не слухався. Він усюди пхав свого допитливого носа і все куштував. А потім прийшов на луку до друзів-козенят.
— Можна, я з вами гратимусь? — запитав він.
Але козенята почали сміятися:
— А ти хто? Порося, курка чи козеня? Ти ж їси геть усе, тож скажи нам, хто ти?
Бі пояснив їм:
— Я куштував це все, щоб визначити, що найсмачніше, от і все. А тепер я точно знаю — мамине молоко — найкраще і найсмачніше в світі!
І козенята прийняли його до гурту.

27 Лео хоче бути півнем

Одного разу селезень Лео вирішив стати півнем. Йому подобалося, як півні кукурікають зранку і ввечері. Це ж так цікаво!
І от одного ранку він спробував прокукурікати. Звісно, в нього нічого не вийшло — адже він умів лише крякати.
Однак Лео наробив стільки галасу, що кури й півня не почули.
Розлючений півень Роко підбіг до Лео.
— Ти що це зараз утнув? — запитав він. — Ану, припини негайно! Півень тут я, і тільки я маю право кукурікати!
— Але я теж хочу будити всіх уранці! — заперечив Лео.
— Ти селезень, а не півень! І ти вмієш тільки крякати, а не кукурікати! Тому не корч із себе блазня! — відповів півень.
Лео дуже засмутився. Трохи згодом до нього зайшли друзі-селезні й покликали на озерце. Плаваючи, Лео забув про неприємну пригоду.
Відтоді Лео навіть і не намагається навчитися кукурікати, а ще тримається якнайдалі від курей.

28 Кролики купаються

Кролик Лу вирішив прогулятися з татом до річки.
— Якщо підеш зі мною, то доведеться скупатися, — мовив тато. — Сидіти самому на березі — небезпечно!
— Гаразд татку, — погодився Лу, хоч і знав, що не наважиться купатись — він дуже боявся води.
Тато-кролик стрибнув у воду і покликав Лу:
— Стрибай сюди, синку, я навчу тебе плавати!
— Я боюсь! — відповів Лу.
— Не бійся! Нічого страшного не трапиться. Ну ж бо, — гукав тато.
— Але я не хочу намокнути, — заперечив Лу.
— Ти обіцяв, що купатимешся, — нагадав тато-кролик.
Лу похитав головою, але раптом посковзнувся і плюхнувся просто у воду!
Тато підплив до нього:
— Бачиш, це дуже легко, — сказав він.
— Так, легко, — відповів зляканий Лу. — Але наступного разу лови мене, гаразд?

Довірлива устриця

Устриця Твіт мала найкращу перлину в морі.
— Твіт, невже ти не боїшся за свою перлину? — якось запитав її Бернар, сусід-мушля.
— Чого б я мала боятися? — здивувалась Твіт. — Що з нею станеться? Невже ти думаєш, що хтось може її в мене вкрасти?
— Але ж усі жителі моря мріють про цю перлину! Нещодавно я чув, як два краби тут неподалік пліткували. «Твіт має найкращу перлину в світі», — говорив один. «Як би нам її дістати?» — замріяно відповідав інший.
— І вони вже й клешні наточили, — продовжував Бернар. — Правду кажу! Краще віддай її мені на зберігання — так вона буде у безпеці, — запропонував він.
Твіт така розповідь дуже налякала. Вона віддала Бернару свою перлину.
— Я поверну її тобі, щойно ці лихі краби заберуться звідси, — пообіцяв Бернар.

Задоволений Бернар вирушив до кав’ярні. Він замовив собі сік із водоростей і почав пропонувати всім відвідувачам купити коштовну перлину Твіт.
Але один із крабів вихопив перлину в Бернара! Той і незчувся, як це сталось!
Краб прийшов до скелі, де жила Твіт, постукав і гукнув:
— Агов, відчиніть!
— Хто там? — злякано запитала Твіт і прочинила дверцята. Перед нею стояв краб із перлиною.
— Пані Твіт, здається, це ваша перлина, — сказав він і простягнув її устриці.
— Ой, дякую! Виявляється, Бернар справжній негідник — украв мою коштовну перлину! — вигукнула Твіт. — Я не думала, що він такий!
Твіт заховала свою перлину і більше нікому не давала її на зберігання!

Кріт сортує горіхи

Одного разу крота Біка попросили посортувати горіхи. Якби він знав, що це така важка робота, то нізащо б не погодився!

У його нірці було темно, тож Бік ненароком змішав горіхи з дрібними камінцями.

— Що ти накоїв? — сплеснула в долоні його дружина. — Треба було окуляри одягти!

— Чим мені ті окуляри допоможуть? — буркнув кріт. — Все одно тут нічого не видно. До того ж я не їм горіхів — чого маю їх сортувати? — сердився Бік.

Він облишив роботу й пішов геть.

— Ось який ти, — гукнула йому вслід дружина. — Навіщо ж брався?

А кріт тим часом пішов до свого друга — їжака Базі, щоб пожалітися на гірку долю.

Той запропонував Бікові:

— У мене є чудова ідея! Ходімо до білки!

2

Бік і Базі прийшли до білки Еріка.

— Добридень, Еріку! Чи не міг би ти дати нам пристрій для сортування горіхів? — запитали вони.

— А що я з цього матиму? — у свою чергу запитав Ерік.

— Коли ми посортуємо горіхи, то частина буде твоя. Ми навіть покладемо її окремо.

— Гаразд, — погодився Ерік. — Ось, тримайте.

Друзі повернулися в нірку Біка. Бікова дружина сумно сортувала горіхи.

— Ой, ви прийшли мені допомагати? — зраділа вона. — А що це за пристрій?

— Це пристрій для сортування горіхів, його нам дав Ерік, — відповів Бік. — Зараз ми дуже швидко все зробимо. Але за це ми пообіцяли дати йому частину горіхів.

— Гм, чи не забагато йому буде? — зауважила дружина.

— Ні! — в один голос сказали Бік і Базі.

3

Друзі швидко сортували горіхи, насипали їх у відра і носили у погріб. А частину горіхів — для білки Еріка — складали в нірці, яку нашвидкуруч вирив Бік.
— Раз-два, нумо! — командував Бік.
Тільки-но вони скінчили роботу, як у дверцята постукав Ерік.
— О, то ви вже все зробили! Молодці! — похвалив він кротів. — А коли я можу забрати свої горіхи?

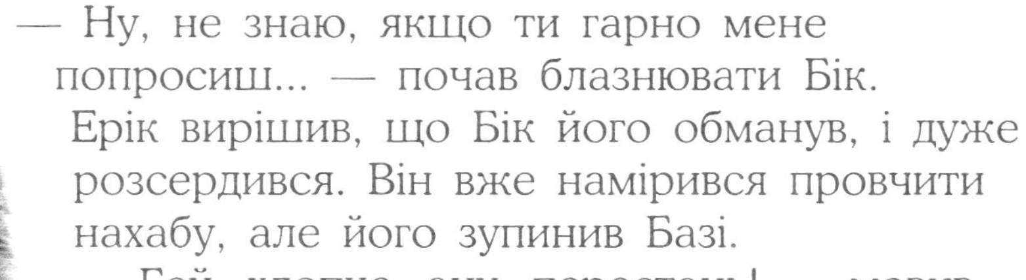

— Ну, не знаю, якщо ти гарно мене попросиш... — почав блазнювати Бік.
Ерік вирішив, що Бік його обманув, і дуже розсердився. Він вже намірився провчити нахабу, але його зупинив Базі.
— Гей, хлопче, ану, перестань! — мовив він. — Не чіпай мого друга!
А Бік винувато посміхнувся:
— Не гнівайся, Еріку! Я просто невдало пожартував. Твої горішки ми склали в окрему нірку, звідки ти їх можеш брати, коли захочеш.
Тепер Ерік мав що їсти взимку, а до того ж він потоваришував із кротами та їжаком Базі!

4 Чобітки для павучка

— Мамусю, сплети мені чобітки! — попросив маленький павучок Спіру.
— Чобітки? Навіщо тобі чобітки? — здивовано запитала мама.
— Я буду в них танцювати! Буду найкращим танцюристом! І просто найгарнішим павучком у лісі! — вигукнув Спіру.
— Але ж павуки не носять взуття, синку! Це дуже незручно! — умовляла його мама-павучиха. — Ти не те що танцювати — ходити в них не зможеш.
— Ну сплети, мамо! Я зможу! Я хоч спробую! — пхинькав павучок.
Врешті матуся не витримала і сплела йому вісім гарненьких різнокольорових чобітків.

— Ой, які ж вони гарні! — вигукнув Спіру, взуваючи їх на свої тоненькі ніжки.
Але коли підвівся, то зрозумів, що не може в них і кроку ступити!
— Мамо, мені в них незручно! — пожалівся Спіру.

— От бачиш, синку! Я тебе попереджала. Павуки не носять чобітків — тепер ти це точно знатимеш.

5 Віслючок-упертюх

Віслючок Стефан був дуже упертий. Він не хотів повертатися з пасовища на ферму.

— Я ще не нагулявся! — упирався він.

— Але ж тобі треба попити! — вмовляв його пастух.

— Я вже пив! Я не хочу пити! Я питиму тоді, коли захочу, — вперто повторював Стефан.

— Гаразд, — погодився пастух. — Хай буде по-твоєму. Але не жалійся потім!

Коли сіло сонце, всі віслюки повернулися на ферму, а Стефан залишився на пасовищі.

— Тільки я буду вирішувати, коли мені повертатися! — вперто повторював він.

Віслючок ще трохи погуляв, а потім потупотів на ферму.

Але ворота були зачинені. Не довго думаючи, Стефан розігнався і повалив їх.

Ворота впали із страшенним гуркотом, від якого прокинулись усі жителі ферми.

Пастух вибіг до воріт і побачив там віслюка.

— Через свою впертість ти наробив шкоди, — гнівно сказав він. — І тепер я буду вирішувати, що тобі робити!

6 Пік і конвалії

Одного разу маленькі пташки Пік і Рос полетіли на пошуки їжі.

— Ану ж, хто перший знайде їжу! — вигукнув Рос.

І вони полетіли в різні боки.

Раптом Пік побачив зарості запашної конвалії. Дзвіночки були такі гарні!

— Мабуть, вони ще й смачні, — подумав Пік і почав їх дзьобати.

Рос тим часом підлетів до нього з пучечком зеленого салату. Побачивши, що Пік їсть конвалію, він закричав.

— Піку, зупинись! Не можна їсти конвалію!

Пік вже й сам виплюнув дзвіночок — той був такий гіркий!

— Фе, який несмачний, — мовив він. — Тепер у мене ще й живіт болить!

— Тримайся, — сказав Рос. — Я приніс салат. З'їж кілька листочків — і тобі полегшає! Він не такий гарний, як конвалія, але він не отруйний, а навпаки, дуже корисний!

І Пік назавжди запам'ятав, що конвалію дзьобати не варто.

7 Улюблений колір метелика

Метелик Ірис був блакитного кольору. І тато, і мама в нього також мали блакитні крила.
— Ми, блакитні метелики, любимо блакитний колір і тому завжди сідаємо на блакитні квіти, — повчав тато-метелик.
Ірис теж любив цей колір і завжди сідав тільки на блакитні квіти. Особливо йому подобались квіточки барвінку.
Одного разу він, прямуючи до барвінку, побачив, що на ньому жовтіє якась плямка. Підлетівши ближче, метелик побачив, що то жовтий метелик!
— Привіт! Мене звати Інес! — сказала дівчинка-метелик.
Вона була дуже гарненька.
— Це мій барвінок! — насупився Ірис. — Ти маєш сідати тільки на кульбабки, бо ти — жовтого кольору.
— Але мені подобаються всі кольори, — заперечила Інес. — А особливо блакитний...
Трохи поміркувавши, Ірис погодився:
— І справді, всі кольори гарні! Тоді я, мабуть, полечу на кульбабку! Бувай!

8 Молодець, павичу!

— Дивіться! Погляньте, яка краса! — гукав павич, прогулюючись на подвір'ї.. Йому дуже хотілося, аби пави швидше прокинулись і прийшли помилуватися на його розкішний барвистий хвіст.
— Який він смішний, цей хвалько! — промовила пава Тільда до своєї подруги. — Ото вже хвоста розпустив!
— Авжеж! І кричить так, що всіх розбудив! — підтримала її подруга. — Хіба ж можна так кричати? — Так, мабуть, він погано вихований!

Раптом з-за рогу будинку вибіг сусідський собака, вишкірив зуби і грізно загарчав.
— Рятуйся, хто може! — закричали пави і кинулись навтьоки. Вони сховалися так хутко, що собака не встиг і оком змигнути!
— А все-таки добре, що павич усіх розбудив своїм криком, — віддихавшись, сказала Тільда. — Інакше ми могли б загинути!
— Справді! Молодець наш павич! Треба піти подякувати йому, — запропонувала її подружка.

9 Хвости ящірок

Ящірка Фред та його друзі дуже люблять вигріватися на сонечку біля будинку. А маленький хлопчик Том хоче з ними потоваришувати. Том намагається спіймати ящірок, щоб познайомитись із ними ближче. Але щоразу, коли він хапає їх за хвости, ящірки тікають, а хвости залишаються в руках Тома. Він засмучено розкладає їх на сходах. Зрештою терпець у ящірок увірвався — ще б пак, постійно втрачати хвости! Вони ж бо не знали, що маленький Том просто хотів із ними потоваришувати. Ящірка Фред запропонував чудовий план. Він вирішив влаштувати демонстрацію! На шматках паперу ящірки написали: «Поверніть нам хвости!» та «Хочемо бути вільними ящірками» і рушили до будинку Тома.

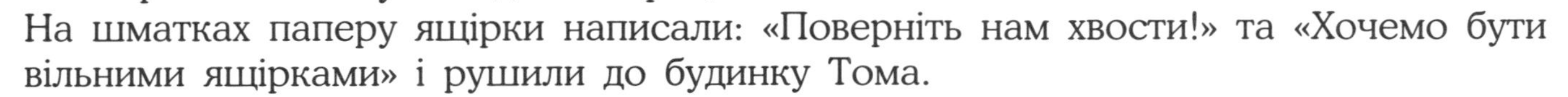

10

Том сидів на сходах свого будинку і сумував. Раптом він побачив цілий натовп ящірок, який рухався до нього! Хлопчик був дуже здивований. А ще він звернув увагу на те, що в усіх ящірок не було хвостів.
Ящірки підійшли так близько, що Том навіть трохи злякався. Що вони збираються робити?!
І тут він помітив написи на папері: «Поверніть нам хвости!», «Припиніть ловити ящірок!». Хлопчик зрозумів, чому ящірки до нього прийшли. Він розклав перед ними їхні хвости. Кожна ящірка забрала свій хвіст і припасувала до себе. А потім усі вони вляглися на сонечку біля свого нового друга Тома, який пообіцяв, що більше ніколи не чіпатиме їхніх хвостів!

11 Чайка захворіла!

— Ой, як же в мене болить зуб! — стогнала чайка Соля.

— Не вигадуй, у птахів немає зубів! — зауважила її подружка Карі. — Це, мабуть, дзьоб. В будь-якому разі тобі треба піти до лікаря. Я знаю, він тобі допоможе. Це чудовий лікар!

— Але я боюсь лікарів! — злякано скрикнула Соля. — Я не піду.

— Не бійся, тобі зовсім не буде боляче, — запевнила її подруга.

І вони разом пішли до пташиного лікаря. Той уважно оглянув Солі й сказав:

— Нічого страшного немає. Просто невеличка тріщинка. Я дам тобі ліки, й за кілька днів ти одужаєш. Однак тобі доведеться помовчати кілька днів, щоб дзьоб загоївся.

— Гаразд, — зраділа Соля. — А я боялась, що мені буде боляче!

Соля почала приймати ліки, й незабаром тріщинка на дзьобі зникла. За кілька днів чайка знову ширяла в небі разом зі своєю подругою Карі й весело кигикала.

12 Жирафа Джі

— Привіт, Джі! — гукали маленькі звірята, що жили в зоопарку. — Будь ласка, покатай нас!

Джі була дуже доброю жирафою й завжди катала усіх малюків. За це вони її просто обожнювали.

— Ти справжній повітряний корабель, — захоплено говорили вони.

А одного разу звірята запитали:

— Джі, а ти можеш покатати нас у воді? Давай вирушимо в подорож!

— Можна спробувати! — відповіла Джі й рушила до невеличкого озерця, яке було тут же в зоопарку.

— Ура! — закричали маленькі мавпочки. Вони вилізли на шию жирафи і вхопилися за неї.

— Тільки добре тримайтесь, — попросила їх Джі. — Не впадіть!

— Почекайте нас! Ми теж хочемо кататися! — озвалися левенята.

— І ми! І ми! — приєдналися кролики.

— Ой-ой! Я вас всіх одразу на собі не повезу, — сполошилася Джі. — Давайте по черзі.

І цілісінький день жирафа катала малят і купалася з ними в озері.

13 Міст «бегемотик»

Так сталося, що бідолашне левеня опинилося на іншому березі річки! Побачивши, що не зможе потрапити додому, левеня розгубилось і почало кликати на допомогу.

— Мамо! — гукало воно. — Забери мене звідси!

— Тримайся, синочку, — крикнула мама-левиця. — Зараз я тебе порятую!

Але течія в річці була такою сильною, що левиця не наважилася стрибнути у воду.

А левеня гірко плакало на іншому березі...

Його плач почув бегемотик Гіпо, який бовтався у воді біля берега. Він покликав своїх друзів:

— Агов, хутчіш сюди! Треба врятувати малого!

Кілька бегемотиків підбігли до нього.

— Давайте зробимо так, — мовив Гіпо. — Ми станемо у рядок, а левеня зможе перетнути річку по наших спинах.

Стриб-стриб! І маленьке левеня вже в обіймах мами-левиці.

— Дякую! — сказало левеня своїм рятівникам. — Це було так весело! Може, пограємось ще у міст «бегемотик»?

14 Охоронці сонечок

Прокинувшись вранці, сонечко Аріель відчула, що страшенно зголодніла. Вона вирішила полетіти на пошуки якоїсь їжі.

— Летімо до трояндових кущів, — запропонувала вона подружкам. — Там стільки тлі, що ми всі можемо ласувати цілий день!

— Увага! — заметушилася тля. — Ховайтесь! Он Аріель летить!

Уся тля поховалася в пелюстках троянд і зачаїлась. Лише відважний Прімі залишився, бо вирішив дещо запропонувати сонечку.

— Добридень, панночко! — привітався він. — У мене є для вас пропозиція! Я впевнений, що вам вона дуже сподобається.

— Та невже? — засміялась Аріель. — Що ж ти можеш мені запропонувати?

— Ми з друзями будемо вашими охоронцями! Якщо до вас наблизиться павук чи щур, ми одразу вас попередимо.

— Чудова ідея! — подумавши, погодилась Аріель. — Я згодна.

Відтоді Аріель мала власних охоронців, які завжди попереджали її про небезпеку!

15 Пелікан Педро

Пелікани і жабки жили разом на одному озері.
Одного разу пелікан Педро відчув, що захворів...
— Щось мені зле! — пожалівся він жабкам. — Така важкість у шлунку! Навіть не знаю, що це таке...
— Може, я тобі допоможу? — запропонувала жабка Грелі. — Але мені треба потрапити у твій шлунок, щоб оглянути тебе зсередини.
— Гаразд! — погодився пелікан і відкрив рота. Жабка стрибнула туди, і Педро її проковтнув. Та як тільки жабка опинилася у шлунку пелікана, на нього одразу ж напала гикавка.
— Ой, давай швидше, — попросив він. — Досить вже! Мене зараз знудить! Я задихаюсь!
Нарешті жабка знову з'явилася у роті Педро. І здогадайтесь, що вона тримала у руках! Величезний камінь!
— Ось чому тобі було так важко! Ти разом з рибою випадково проковтнув камінець, — сказала Грелі. — Добре, що ти дозволив мені тебе оглянути, тепер тебе нічого не турбуватиме.

16 День народження кабана

Поросята Порні, Ворні та Симон не забули, що в їхнього татка сьогодні день народження! Вони тихенько пробралися в спальню батьків... Тато міцно спав — він хропів, немов старий мотор! Мама тихенько сопіла поряд.
— Мамо, як ти думаєш, що краще подарувати татові? — зашепотіли вони на вушко мамі.
— Діти, — відповіла сонна мама, — поговоримо про це потім. Я хочу спати — ще ж навіть і півні не кукурікали!
Але поросята не хотіли спати. Вони хотіли зробити татові подарунок!
— Ходімо надвір, — прошепотів Порні. — Щось самі придумаємо.
Поросята вийшли на вулицю і вражено спинились. На місці калюжі, в якій зазвичай купався тато, була волога ямка. Літо було таке спекотне, що за ніч калюжа геть висохла!
— О ні! — вигукнули поросята. — Що ж тепер тато робитиме? Він же так любить купатися вранці!

— Я знаю, що робити! — придумав Ворні. — У нашого сусіда є стара ванна, в яку він набирає воду для поливу овочів. Давайте візьмемо шланг і наповнимо калюжу водою! Побачите, як тато зрадіє.
Поросята тихенько підкрались до ванни і занурили у воду один кінець шланга, а другий поклали на місце, де мала бути калюжа.
— Давай, Порні! — скомандував Ворні.
Порні почав стрибати по шлангу, і в калюжу потекла вода. Вона лилася й лилася, і порожня ямка на подвір'ї потроху наповнилась водою...
— Ура! В нас усе вийшло! — радів Симон. — У нас знову є калюжа! Такий подарунок таткові обов'язково сподобається!
І справді, коли закукурікали півні і тато вийшов на вулицю, він був просто в захваті від такого чудового подарунку.
— З днем народження, татку! — хором привітали його поросята.
Того дня тато цілісінький день качався в калюжі!

18 Мрія Ратуни

Польова мишка Ратуна мріяла полетіти в небо. Але ж мишки не літають, у них немає крил!

— Ходімо гратися в піжмурки! — покликали її подруги.

Ратуна знала безліч місць, де можна було сховатися.

— Ось тут мене ніхто не знайде! — вирішила вона і сховалася серед колосків пшениці. Раптом Ратуна помітила жахливу чорну тінь! Злякана мишка почала прожогом рити нірку, щоб сховатися. То була тінь величезного чорного крука!

— Не бійся! — сказав крук. — Я знаю, що ти мрієш піднятися в небо. Якщо хочеш, я можу здійснити твою мрію.

— Але ж миші не літають, — тремтячим голосом відповіла Ратуна.

— А ти будеш першою мишкою, яка побувала в небі, — запевнив її крук.

Він розкрив крила і запропонував Ратуні сідати йому на спину.

— Полетіли!

Крук летів все вище й вище, описував круги над полем. А Ратуна милувалася краєвидами і відчувала себе найщасливішою мишкою на світі!

19 Уночі не буде темно!

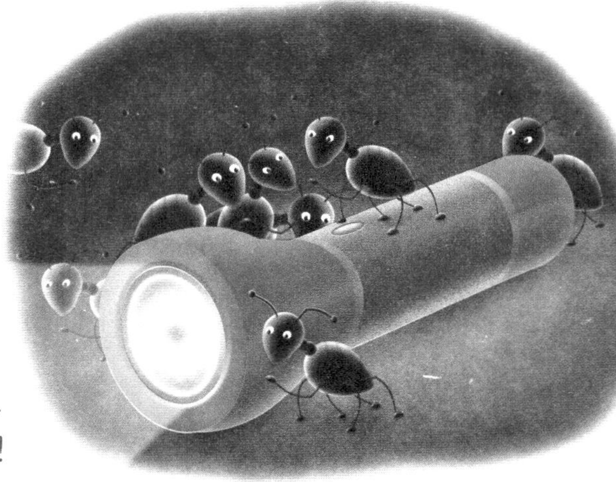

— Мамо! Мамо! — прокинувшись, гукали маленькі мурашки. — Ми боїмося! Що сталося?

А сталося те, що хтось із людей, ідучи ввечері лісом, випадково наступив на мурашник, і він майже розвалився. В мурашнику піднялась метушня, всі повибігали на вулицю.

— До роботи! — звеліла всім мурашкам королева-мураха. — Нам треба швидко полагодити наш дім!

Мурашки дружно взялися до роботи. Вони не припинили роботу навіть тоді, коли в лісі стало зовсім темно.

Раптом мураха Алма побачила у траві щось блискуче.

— Що це? — здивовано запитала вона і ненароком натиснула на кнопочку.

Раптом дивний предмет почав сяяти, наче сонце! То був брелок-ліхтарик!

— Ой, яка цікава штука! — і всі мурахи підбігли до Алми, щоб роздивитися ліхтарик зблизька.

— Яка гарна знахідка! Як чудово! — раділи маленькі мурашки. — Тепер уночі буде завжди світло і ми не боятимемось темряви!

20 Кмітливі курчата

Курчата Піколо, Піко і Піколіно йшли разом зі своєю мамою по дорозі біля лісу. Раптом Піколо побачив на стежці, що вела в гущавину, розсипані зернята кукурудзи.
— Які смачні! — сказав Піколо, дзьобнувши кілька зернин.
Мама-курка, думаючи про своє, пішла далі дорогою, а курчата звернули на лісову стежку і продовжували дзьобати кукурудзу. Підбираючи насінини, вони заходили глибше в ліс і незабаром опинилися просто біля нори лиса Леонардо.
— Ласкаво прошу, — хижо засміявся Леонардо. — Я розсипав зернята, бо знав, що дурненькі курчата потраплять у цю пастку! Тепер я вас з'їм!
І лис кинувся до курчат. Але перечепився за мотузку, що лежала на підлозі, й упав! А кмітливим курчатам тільки цього й треба було. Вони швиденько зв'язали хитрого лиса, а самі кинулись навтьоки. Курчата вибігли на дорогу і наздогнали свою маму, поки вона не помітила їх зникнення.

21 Слоники-пожежники!

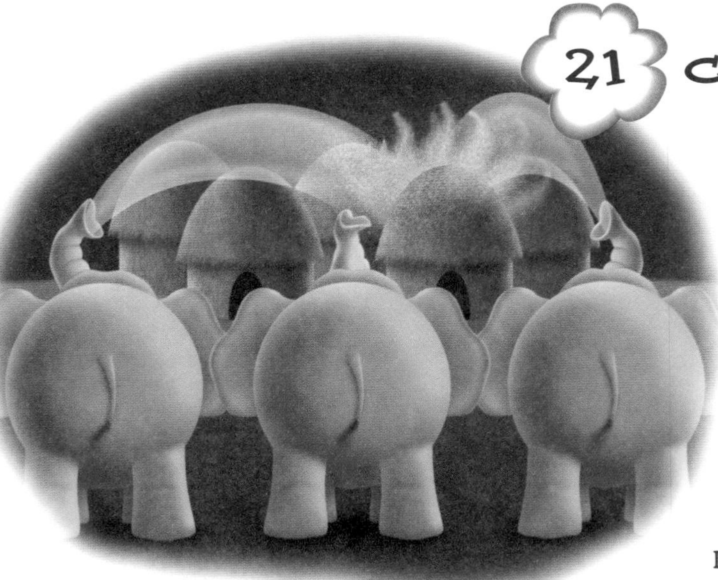

Одного разу на березі річки слоники влаштували справжнє змагання.
— Хто виллє воду якнайдалі, той переміг! — гукнув слоник Поло. — Ви готові?
— Готові! — відповіли слоненята.
І змагання почалося. Слоненята занурили хоботи в річку, набрали в них води і почали лити її якомога далі — немов зі шлангів. Вони так веселились, що навіть не одразу почули, що хтось кричить у них над головою:
— Швидше, допоможіть! Село горить! Допоможіть загасити вогонь!
Це був папуга, який прилетів до слоненят за допомогою. Поло та його друзі, не роздумуючи, набрали в хоботи води і чимдуж побігли до села.
Так їм довелося бігати кілька разів. Але нарешті вони загасили пожежу!
— Дякуємо, — розчулено сказали жителі села. — Ви врятували наші домівки!
Слоненята дуже пишалися собою. А ще їм було приємно отримати від вдячних жителів кілька стіжків свіжої травички!

22 Газель Жизель

Газель Жизель вважала себе найвродливішою твариною в савані. Вона завжди гордовито походжала, високо задерши носа, й ні на кого не звертала уваги, навіть не віталася!

Бегемоти ж постійно зачіпали її:

— Гей, красуне! Ану ходи-но сюди! — гукали вони.

Але Жизель на те не зважала. Вона проходила повз них і навіть голови не повертала!

Не лише бегемоти, а й усі звірі не любили пихату Жизель.

Одного разу Жизель підійшла до озера, щоб напитися. А бегемоти вирішили над нею пожартувати. Один бегемот підкрався до Жизель ззаду й загарчав, як лев!

Бідолашна газель так злякалась, що заскочила у воду! Вона намокла і вимазалась у мулі. А всі звірі сміялися на березі й кепкували:

— Ну, що, красуне, як водичка? Але ж ти й брудна!..

Після цього газель Жизель вже не була такою пихатою.

23 Альбер і Руру

Голуб Руру цілі дні туркотів, сидячи на підвіконні! Кіт Альбер, який спав у кімнаті, вже просто не міг цього витримати. Щоранку він прокидався від набридливого туркотіння. Альбер ніяк не міг виспатись і дуже сердився на голуба, аж кігті випускав зі злості:

— Припини негайно! Якщо не перестанеш туркотіти, я з'їм і тебе, і твоїх діток! — погрожував він.

Горобець, який жив на дереві біля будинку, вирішив допомогти Руру, адже сердитий кіт і справді міг його з'їсти!

Уночі горобець підкрався до кота Альбера разом із своїми друзями-мурахами. Вони підлізли під матрац Альбера й понесли його до саду.

— Як же гарно я виспався! — позіхнув кіт, прокинувшись. — Тут так добре спиться! Мабуть, тепер я завжди спатиму в саду!

Відтоді Альбер не погрожував Руру, що з'їсть його. Більш того, іноді він навіть приходив його послухати!

24 Співачка Доріс

Колорадський жук Доріс картоплю терпіти не могла! Вона сиділа на трояндах і співала пісень. Звісно, колорадським жукам це дуже не подобалось. Вони постійно перешіптувались:
— Ви тільки подивіться, яка пані! Сидить на троянді та співає, коли інші їдять картоплю!
А привітні сонечка пожаліли бідолаху Доріс. Вони хотіли допомогти їй, але не знали, як.
— Давайте відведемо її до нашого короля Коксі, він, певно, знатиме, що робити! — запропонувало одне з сонечок.
І Доріс разом зі своїми новими подругами полетіла до короля сонечок.
— Принесіть мені чорної та червоної фарби! — наказав король. Він пофарбував Доріс у червоний колір і намалював на ній цяточки.
— Тепер ти будеш сонечком! — звернувся король до Доріс. — І я доручаю тобі керувати хором сонечок.
Так Доріс стала справжньою зіркою. Навіть колорадські жуки приходили на її концерти!

25 Рибка-клоун

Одного разу рибка-клоун Гаррі вирішив, що він більше не буде веселити інших рибок і сам не сміятиметься. Бо щоразу, як хтось його бачив, то одразу ж починав реготати! Гаррі навіть нічого сказати не встигав!
— Все, з мене годі! — вирішив Гаррі. — Усі з мене сміються — час це припинити. Я більше не буду клоуном!
І він поплив до себе додому. Але коли наблизився до своєї хатинки, вона теж почала сміятись! Хатинка реготала так, що аж трусилася! Від цього зі стіни впало величезне дзеркало. Гаррі дуже любив його, тому швиденько кинувся, щоб зібрати хоча б скалки!

Він нахилився над уламками дзеркала і побачив, з кожного шматочка на нього дивилися рибки-клоуни! Це було так смішно! Гаррі не стримався і почав реготати!
До його будиночку припливли усі рибки, що були неподалік, і теж почали сміятися. Тож довелося Гаррі залишитися рибкою-клоуном!

26 Нічні істоти

Кажан Софі дуже боялася темряви. Це було дивно — адже кажани нічні істоти й літають лише вночі. Усі її подруги тільки й чекали ночі, а Софі, щойно вечоріло, починала тремтіти.

— Чого ти боїшся? — якось запитали в Софі подружки.

— Я боюсь чудовиська, яке живе в моїй печері! У нього великі крила і гострі зуби! І воно з'являється тільки вночі!

— Гаразд! — вирішили подружки. — Цієї ночі ми підемо туди і провчимо чудовисько!

Усі кажани зібралися біля печери Софі й стали чекати, поки настане ніч. І тут почувся переляканий голос Софі:

— Подивіться! Воно там! Чудовисько дивиться на мене!

Кажани кинулись в печеру, щоб урятувати свою подругу. Але замість того, щоб злякатись, вони аж покотились від реготу!

— Але ж, Софі, то твоє відображення у дзеркалі! Ти налякала саму себе! — сміялись вони.

Після того Софі ніколи не боялася темряви.

27 Артистка Чуча

Артисти лісового цирку мали починати виставу, коли помітили, що всі речі, потрібні їм для виступу, кудись зникли! І м'ячі слона-жонглера, і мотузка пуделя-акробата, і чарівна парасолька носорога...

— Неймовірно! — вигукнув коник Лой. — Може, хтось так нам заздрить, що вирішив зірвати наш виступ? Чи це чийсь злий жарт?

Але всі звірята тільки лапками розводили — ніхто нічого не знав...

Раптом на арені з'явилася мавпочка Чуча! Вона гойдалась на мотузці, жонглювала м'ячиками, показувала фокуси з парасолькою... Глядачам всі ці номери дуже сподобались!

— Яка ж ця мавпочка талановита! — захоплювались вони.

А Чуча просто дуже хотіла стати артисткою! Вона поцупила всі ці речі, щоб показати свої вміння... Артисти спершу дуже розсердились на мавпочку, але потім пробачили її й узяли до себе. І згодом мавпочка Чуча стала справжньою зіркою цирку!

28 Їжачки подорожують

Одного разу родина їжаків вирішила провідати своїх родичів, які жили у другій частині лісу — за шосе.

Але тато-їжак дуже хвилювався:

— Переходити шосе — це так небезпечно! Ми такі маленькі й ходимо надто повільно, а величезні машини їздять надзвичайно швидко! Вони можуть переїхати нас! Що ж робити? Може, не підемо туди!

Це почув заєць Пупі й порадив їжакові:

— Нещодавно я бачив рекламу нового таксі — «Лань»! Ти сідаєш на спину лані, й вона доставляє тебе туди, куди тобі потрібно! Просто виклич лань, і вона вас усіх перевезе!

— Чудова ідея! — вигукнув тато-їжак.

Того ж вечора їжаки викликали лань, і вона вмить перевезла їх через шосе й доставила до самісінької хатинки їхніх родичів. Їжачкам дуже сподобалась ця поїздка!

— Тепер можна сміливо подорожувати куди завгодно! — радів тато-їжак. — Адже в лісі тепер є чудове таксі!

29 Кіт Альбер

Одного разу маленька чорна киця Клара залізла на височезний дуб і ніяк не могла з нього спуститися! Їй стало страшно, і вона почала гірко плакати... А ще киця дуже хотіла їсти...

— Допоможіть! — жалібно нявчала вона.

— Хтось мене чує? Будь ласка, допоможіть!

Старий кіт Альбер проходив неподалік від дерева. Він був дуже роздратований:

— Та годі кричати! — гукнув він. — В мене вже вуха від тебе болять!

— Але я хочу їсти! — відповіла Клара. — І я не можу спуститися з дерева! Допоможи мені!

— І не подумаю, — пробурмотів Альбер.

— Я терпіти не можу кошенят!

Альбер поглянув на Клару й побачив, що вона дуже жалібно на нього дивиться.

— Ну, будь ласка! — благала киця.

— Гаразд, — врешті не витримав Альбер. — Я тобі допоможу, але потім не смій ходити за мною! Зрозуміла?

Альбер спритно забрався на дерево.

— Йди за мною, — звелів він, — став лапку на цю гілку, потім на цю... Тут перестрибни, а тут проповзи — це ж так легко!

Нарешті Альбер і Клара опинилися на землі. Клара на радощах кинулась обнімати старого Альбера та ще й поцілувала!

— Ось цього не треба! — роздратовано сказав Альбер. — Я ж казав, що терпіти не можу кошенят! А поцілунки я просто ненавиджу!

Клара так засмутилась, що ледь не плакала.

— Гаразд, нічого страшного! — мовив Альбер.

— Я тобі допоміг, а тепер іду додому.

Клара рушила за ним.

— А ти далеко живеш? — запитала вона. — Можна, я піду з тобою?

— Ні! В жодному разі! — відповів Альбер.

— Я люблю бути на самоті, щоб мені ніхто не заважав!

Але киця Клара так жалібно на нього дивилася!

— Ні! — твердо повторив кіт.

Раптом із крони дуба знову почулося жалібне нявчання!
— Норі! Норі! — вигукнула Клара. — Альбере, там, на дереві, моя маленька сестричка! Врятуй і її, будь ласка!
Альбер хотів відмовитись, але Клара дивилася на нього з такою надією!
— Гаразд, я допоможу їй спуститись, — нарешті погодився кіт, — але потім ви обидві залишите мене в спокої!
Кіт знову заліз на дерево. На гілці сиділа чорна киця Норі з зеленими оченятами.
— Спускайся за мною! — звелів Альбер. — Сюди став лапку, потім переступай на цю гілку, далі треба перестрибнути, а тут трохи проповзи...
Коли вони спустилися на землю, кошенята ніжно поцілували свого рятівника в обидві щоки й радісно замуркотіли!
І, як це не дивно, цього разу Альберові було навіть приємно!
Так Альбер подружився з двома милими кошенятами і відтоді завжди допомагав їм, коли вони потрапляли в халепу!

1 Річка коали Джо

Колись давно в Австралії, яку називають країною кенгуру, жила сімейка коал. Найменший коала Джо щодня висів на гілках дерева, спостерігаючи за кенгуру, котрі гралися на зелених галявинах, і зітхав — він-бо не міг так стрибати! Одного дня його зітхання почула мама-кенгуру.

— Бідолашний, чого ж ти так сумуєш? — запитала вона. — Хочеш, я тебе покатаю в сумці?

І ось Джо вже сидить у сумці кенгуру і несеться назустріч вітру! Як чудово!

— А знаєш, — сказала йому мама-кенгуру, коли прогулянка скінчилась, — ми тобі навіть заздримо! Ми вміємо гарно стрибати, зате ти можеш побачити стільки цікавого зі свого дерева!

Джо задумався над цими словами, а тоді поліз на верхівку дерева, щоб гарно роздивитися все навколо. І які ж чудові краєвиди перед ним відкрились!

Вдалині виднілась річка. Вона була просто чарівна! У промінні призахідного сонця річка виблискувала, немов коштовне каміння.

Джо надзвичайно зрадів, зробивши таке відкриття! Він вирішив, що це буде ЙОГО річка.

— Ніхто — ні коали, ні кенгуру — не дізнається про МОЮ річку, — сказав він собі. — Я нікому її не покажу!

З того часу Джо більше не грався з братиками і сестричками, а лише сидів на верхівці дерева й спостерігав за чимось удалині...

Навіть коли мама-кенгуру запропонувала йому покататися в сумці, він пихато відмовився.

Всі помітили, що маленький коала дуже змінився! І в нього зовсім не залишилось друзів...

Одного разу, коли Джо пізно ввечері милувався річкою з верхівки дерева, йому здалося, що неподалік промайнула чиясь тінь.

Невже хтось посмів дивитися на ЙОГО річку?

Раптом поруч із ним зашелестіло листя, і Джо затремтів — він дуже злякався. Хто б то міг бути в таку пізню годину — адже всі давно вже сплять?..
Із листя з'явилась маленька дівчинка-коала!
— Вибач, я не хотіла тебе налякати, — сказала вона. — Мені стало цікаво, що ти розглядаєш з верхівки дерева, і я теж вилізла сюди. Тепер я знаю, що ти милуєшся річкою. Вона така гарна!
Потім вона несміливо попросила:
— Можна, я буду приходити сюди і теж дивитись на річку? Звідси її найкраще видно!
Джо спершу хотів заперечити, адже це була тільки ЙОГО річка! Але раптом він зрозумів, як сумно і нецікаво йому без друзів. Адже через свою пихатість він лишився сам-самісінький...
— Звісно, приходь, — погодився Джо. — Разом нам буде веселіше. Ти ще не бачила, яка виблискує ця річка на сонці!
З того часу маленькі коали щовечора милувалися блискучою річкою удвох…

Мавпи-музиканти

Мавпочка Роко на свій день народження вирішила влаштувати концерт, у якому взяли б участь усі мавпи лісу.
Але друзі Роко погано грають на музичних інструментах, а співають ще гірше! Вони тільки плещуть у долоні й вигукують хто що хоче. Та найгірше, що при цьому вони свистять, вищать та й взагалі жахливо поводяться!

Роко дуже засмутилась. Вона ледь не плакала — адже хотіла влаштувати справжнє свято, а замість цього тільки зіпсувала свій день народження…
Друзі Роко зрозуміли, що погано поводились, і вирішили зробити Роко сюрприз!
Вони зібрались на репетицію, і невдовзі вже непогано грали і співали. А тоді рушили до хатинки Роко і влаштували біля неї чудовий концерт. Мавпочка була просто щаслива!
Відтоді мавпи на кожен день народження влаштовують надзвичайні концерти!

5 Смачна рибка

Чапля Лізі завжди допомагає друзям — вона ловить рибку і пригощає їх. Але коли сама хоче скуштувати рибинку, то виявляється, що невдячні чаплі вже все з'їли!

— Вибач, Лізі, але риби більше немає, — кажуть вони. — Якби ти наловила більше, то й тобі вистачило б.

Одного разу голодна Лізі побачила біля озера равлика і хотіла його з'їсти.

— Не їж мене! — вигукнув равлик. — Ти чапля, тож маєш ловити рибу!

— Я так і роблю, але мені не залишається жодної рибинки! — засмучено відповіла чапля.

— Гаразд, допоможу тобі… Принеси завтра кілька великих черв'яків, і я скажу, що треба зробити.

Коли Лізі принесла черв'яків, равлик звелів:

— Поклади їх на латаття і зачекай — матимеш багато свіжої риби!

І справді! Риби кинулись до черв'яків, і чапля вмить наловила їх цілу купу! Вона вдосталь поїла сама, а потім пригостила інших чапель.

А вони тільки дивувалися — і як Лізі вдалося зловити стільки риби?

6 Русалка-спортсменка

Маленька русалка дуже хотіла виграти конкурс краси і посилено до нього готувалася — і зачіску робила, і спортом займалась, і віршики вчила. Ще й вирішила трохи схуднути! Тож пішла до лікаря, щоб той їй щось порадив.

— Та у вас чудова фігура! — здивувався лікар.

— Та ні, лікарю, я хочу бути найкращою на конкурсі. Порадьте, будь ласка, як мені трохи схуднути.

— Гаразд. Вам треба щоранку швидко плавати лагуною по півгодини. Матимете справді чудовий вигляд.

Русалка тренувалася дуже наполегливо — не лише вранці, а й в обід, і ввечері — і за тиждень наростила собі гарні м'язи. Тож інші русалки порадили їй брати участь не в конкурсі краси, а в спортивних змаганнях. Вона отримала перше місце й була дуже задоволена. Ще б пак — краща спортсменка лагуни!

7 Хамелеон-суперзірка

Усі хамелеони можуть змінювати колір — у траві вони стають зеленими, біля стовбура дерева — коричневими. А хамелеон Хо відрізнявся від своїх родичів — він був блакитного кольору. Як не намагався Хо навчитись змінювати колір, що не робив — нічого в нього не виходило. Навіть на яскраво-зеленій траві він залишався блакитним…
Однак друзі-хамелеони заздрили Хо.
— Тобі так личить блакитний колір, — повторювали вони. — Ти не такий, як інші. Ти такий вродливий, що аж подих перехоплює!
Тож Хо зрозумів, що насправді має радіти, а не журитись. Хоч він і не вміє змінювати колір, зате має стільки шанувальників, які вважають його гарним!
З того часу Хо відчув себе справжньою суперзіркою!

8 Ванна для носорога

У пустелі було дуже спекотно. Сонце висушило все довкола, і навіть калюжа, у якій полюбляв ніжитись носоріг Рено, висохла і вкрилася тріщинами! Рено спав дуже довго, а коли прокинувся, то здивовано запитав сам у себе:
— Де ж мені тепер скупатися? І куди поділися всі птахи й звірі?
Але довкола нікого не було — анікогісінько!
Рено згадав, як колись одна маленька пташка розповідала, що не так далеко є справжній ліс, у якому можна знайти прохолодні озера. Недовго думаючи, носоріг вирушив у дорогу.
І коли він врешті дістався лісу, то побачив там усіх своїх знайомих, що купалися в прохолодній воді озера.
А поруч була величезна калюжа!
Рено розігнався і плюхнувся в неї.
Ніякі озера не могли бути кращими від чудової калюжі з тепленькою водичкою.
«Мабуть, залишусь тут надовго, — така гарна місцинка», — радів носоріг.

9 Бешкетні кошенята

Одного ранку маленький котик Мурзик вирішив не йти до школи. Він хотів залишитися в ліжечку і трохи поспати. Але мама продовжувала його будити:
— Прокидайся, Мурзику! Час умиватися і збиратись до школи!
— Я хочу спати! І не люблю вмиватися! — бурмотів Мурзик.
— Треба вмиватися, щоб бути чистеньким і охайним, — наполягала мама.
Врешті котику довелося йти до школи. По дорозі зустрів свою подружку — кицю Мінні.
— Привіт, Мінні! А що ти скажеш на те, щоб не йти сьогодні до школи?
— Не йти до школи? Мурзику, хіба ж так можна робити? Адже нас покарають...
— Ніхто й не знатиме! Давай краще підемо полювати на мишей або поцупимо молоко в старого молочника. А ще можна дражнити його собаку!
— Навіть не знаю... Я боюся, Мурзику...
— Кажу ж, ніхто й не дізнається! Ходімо, розважимось!
І двоє кошенят вирушили назустріч пригодам.

10

Спочатку Мінні і Мурзик влаштували полювання на мишей. Потім вони прокрались у комірчину молочника і випили вершки. Потому кошенята вибігли у двір, де біля будки дрімав старий собака Медор.
— А давай налякаємо його? — запропонував Мурзик.

— Мабуть, краще не варто, — засумнівалась Мінні. — Медор не любить, коли йому не дають спати... Краще повернімось до школи.
Але Мурзик не послухався і стрибнув на собаку, випустивши кігтики! Медор вискнув, схопився і погнався за кошенятами.
— Ану, стійте, хулігани! Ось я вам покажу!
Мурзик і Мінні бігли щодуху. Побачивши шкільний паркан, вони шмигнули крізь щілину, яка була замала для собаки.
— Цього разу вам пощастило, — загарчав їм услід Медор. — Але я з вами поквитаюсь!
А на порозі школи їх зустрів сам директор, який суворо дивився на малих бешкетників...

Хитрі бджілки

Бджоли, що жили в вулику, збирали тільки лавандовий пилок. Однак бджілці Жужу здавалося, що це дуже нудно. Цілісінький день літати над одним і тим самим полем і збирати пилок тільки з лаванди — хіба ж це життя? І Жужу вирішила, що збиратиме пилок із троянд. У неї буде трояндовий мед. До того ж серед великих пелюсток троянд і перепочити можна.

Коли вона приносила мед у вулик, то просила бджілку Сюзі, яка порядкувала там, класти його в окремі стільники.

Одного разу бджолина королева, оглядаючи стільники, знайшла надзвичайно смачний мед.

— О! Який чудовий аромат! Хто збирав цей пилок? І з яких квітів? — запитала королева.

— Це Жужу, ваша величносте, — відповіла Сюзі. — А квіти — троянди.

— Відтепер ви обидві будете робити трояндовий мед, — звеліла королева.

Тепер у бджілок з'явилося багато роботи... Навіть дуже багато!

Одного разу Жужу сказала Сюзі:

— Сюзі, нам треба щось придумати! Така робота не для маленької бджілки! Я вже геть знесилилась!

— І я теж хочу відпочити, — зітхнула Сюзі. — Слухай, у мене є ідея! Ходімо зі мною до королеви.

Королева радо зустріла маленьких подружок. Привітавшись, Сюзі одразу ж почала розмову:

— Ваша величносте, зведіть, щоб інші бджілки збирали пилок із троянд, а ми тим часом будемо проводити дослідження трояндового меду.

Королеві ця ідея сподобалась. Вона похвалила розумних бджілок і навіть виділила їм окрему кімнату для дослідів!

— Ви будете моїми дослідницями! Вивчайте мед, а я чекатиму на ваші відкриття! — звеліла королева.

Тепер ліниві Жужу і Сюзі могли відпочивати, скільки заманеться. Адже вони тільки те й робили, що куштували мед.

Ось так подружки-бджілки перехитрили саму бджолину королеву!

13 Кенго шукає свою кишеню

Маленький кенгуру Кенго виліз із маминої кишеньки і пострибав гуляти. Незабаром він побачив двох кенгуру, які гралися на галявинці.
— А у що ви граєтесь? — запитав він у Лоли та Лулу.
— Ми заповнюємо кишеньки яблуками — хто швидше. А потім їх їмо! — відповіла Лола.
— А можна й мені з вами гратися? — запитав Кенго.
— У тебе ж немає кишеньки! — хором вигукнули кенгуру.
Кенго дуже засмутився. Як це — у нього немає кишеньки?! Він побіг до мами.
— Мамо, чому в інших кенгуру є кишеньки, а в мене немає? — ледь не плакав він.
— Синочку, кишеньки є лише в дівчаток. Коли вони виростуть, то стануть мамами іноситимуть там своїх діток. А хлопчикам вони не потрібні!
Кенго заспокоївся, перестав схлипувати і знову побіг до Лоли і Лулу.
— Я хлопчик, тому в мене нема кишеньки! — загукав він.
— Гаразд! Тоді будеш нашим суддею! — відповіли кенгуру.

14 Лама гнівається!

Одного разу лама Лем побачив, як його дідусь плюється. Він здивувався — адже так робити негарно! Але дідусь пояснив, що всі лами плюються, коли гніваються. Лем вирішив теж плюнути. Для цього він уявив, що гнівається, — і в нього теж вийшло! Але друзі Лема здивувались.
— Чому ти гніваєшся? — запитали вони.
— Я не знаю, — відповів Лем, продовжуючи плюватися.
— Ану перестань! — наказав йому дідусь. — Не можна гніватися без причини, це неправильно!
Але Лем продовжував плюватися, хоч і не міг пояснити, чому він це робить. Всі перестали з ним гратися — кому ж сподобається, якщо його друг весь час гнівається!
Лем зрозумів, що так робити не годиться, і перестав плюватись.
— Краще не гніватися просто так! — вирішив Лем. — Бо так усіх друзів можна втратити!

15 Несподіваний бенкет

Пугач Кло вирішив полетіти в село, щоб уполювати кілька мишок і поласувати фруктами. Та коли прилетів до села, то побачив, що там ясно, немов удень, хоча вже була ніч.

Що ж то було? Та просто мишки влаштували свято і бенкетували. Кло усівся на гілці й почав розглядати страви на столах. При цьому він так голосно зітхав, що його почула одна мишка. Поглянувши на гілку, вона побачила пугача, сказала про це подругам, і всі дуже злякалися.

І тут у мишки з'явилась ідея.

— Давай домовимось, — запропонувала вона пугачу. — У нас тут є багато смачненького. Якщо ти пообіцяєш нас не чіпати, то можеш поїсти з нами! До того ж ми часто влаштовуємо такі бенкети!

Кло сподобалась така пропозиція. Він пугикнув, злетів униз... Але мишки злякались і втекли. Довелося Кло самому бенкетувати.

16 Смугастий лев

У левеняти Луї на спинці було дві смужки.

— Ой, ти смугастий! Ти не з наших! — говорили йому інші левенята.

— Чому це? — запитав Луї.

— Смужки мають тільки зебри і тигри, але не леви!

Луї засмутився і побіг до мами.

— Мамусю, а ти впевнена, що я левеня? — запитав він.

— Та звісно! — відповіла левиця. — Ми всі леви, навіть не сумнівайся!

— Тоді чому ж я смугастий? — продовжував допитуватись Луї.

— Не хвилюйся, таке буває. Є леви білі — їх ще називають альбіносами. А ти народився смугастеньким, як зебра.

— А знаєш, я хочу дружити із зебрами! Але якщо вони не захочуть?

— Краще запитати в них! — порадила йому мама.

17

Наступного дня Луї побіг до озера, де зебри постійно збиралися на водопій. Але коли він до них наблизився, зебри почали щодуху тікати.

Луї дуже засмутився. Як же пояснити зебрам, що він не бажає їм зла, а просто хоче заприятелювати?

Раптом у нього з'явилась ідея! Він повернувся до зебр так, щоб вони побачили смужки на його спині. Коли ж вони звернули на це увагу, розповів їм про своє бажання дружити.

Тоді тато-зебра зібрав усю родину і сказав:

— Колись леви і зебри дружили. Я не проти, приходь.

Всі одразу заспокоїлись А маленькі зебри покликали Луї гратися на березі озера. З того часу Луї став справжнім другом зебр і надзвичайно пишався цим!

18 Святковий торт

Люсі вирішила влаштувати свято і запросити свою подружку Мілі на гостину. Мілі погодилась і пообіцяла, що принесе надзвичайно смачний торт.

Дівчинка купила на базарі всі необхідні продукти — і борошно, і масло, і цукор, і полуниці. Але дівчинка ще ніколи не пекла торт! На щастя, бабуся Мілі була вдома і з задоволенням погодилася допомогти онуці.

Вони замісили тісто, випекли у печі кілька коржів, змастили їх кремом і прикрасили полуницями. Торт вийшов просто чудовий!

Мілі прийшла до Люсі й принесла його в кошику.

— Ой, який гарний тортик! — вигукнула Люсі. — Ти сама пекла?

— Звісно, сама! — відповіла Мілі. — Щоправда, бабуся трохи допомагала, — призналась вона.

— Зараз я заварю чаю і сядемо до столу! — сказала Люсі.

Дівчатка пили смачний чай і ласували полуничним тортом.

— Я[illegible]удово влаштовувати свята! — замріяно мовила Мілі. — Особливо з тортиком!

19 ~~Не~~ злий собака

Собака Буркотун дуже злий на всіх довкола. Річ у тім, що всі жителі двору не хочуть з ним дружити — бояться.
Але якось кішці Мурці потрібно було сходити за ліками для кошеняти, тому вона залишила на буді Буркотуна записку: «Я іду в аптеку, будь ласка, приглянь за моїм синочком».
Буркотун прочитав записку, буркнув щось і вже хотів було лягати спати.
Але раптом він почув жалібне нявчання. Кошеня бігло до нього!
— Мені наснився поганий сон! Можна я побуду з тобою? — нявкнуло воно.
Буркотун не знав, що й сказати. А тим часом кошеня вже залізло до нього в буду й умостилося поруч.
Нарешті й Мурка повернулася.
— Синочку, ти де? — гукала вона.
Киця побігла до Буркотуна, і побачила, що собака і кошеня спокійно спали в буді! І Буркотун, якого всі вважали злим, ніжно обіймав її синочка лапою!
— Мамо, Буркотун такий добрий! — розповідало потім киці кошеня.

20 Принц-жаба

— Ква-ква! — сумно квакав хлопчик-жабка, сидячи на лататті. — Я так хочу бути принцом!
— Навіщо це тобі? — запитала його жабка-дівчинка.
— Всі принци носять гарні корони! І всі вони прекрасні!
— Та зовсім ні! Хіба ж це добре — ходити на двох ногах і мати гладеньку шкіру? Ти набагато кращий за будь-якого принца!
— Дякую, але мені б так хотілося стати принцом і носити корону, — не вгавав хлопчик-жабка.
— Але тоді тобі довелося б постійно цілувати якусь принцесу! Невже ти цього хочеш?
— Може, й ні, але корону я все одно хочу!
— Зачекай трохи, — раптом сказала жабка й пірнула у воду. Згодом вона з'явилась на поверхні, тримаючи в лапках гарнесеньку корону, прикрашену перлами!
— Тримай! Колись біля цього ставка прогулювався принц і ненароком впустив цю корону в воду! А я її зберегла!
— Тоді ти будеш моєю принцесою!
І принц жаба одягнув своїй принцесі на лапку каблучку з листочка очерету!

21 Свято музики

Щороку цикада Цвіко виступає на святі музики. Він дуже ретельно готується до виступу. Одного разу перед концертом він чепурився перед дзеркалом, натираючи свої крильця, аж раптом…

— О ні! — вигукнув він. — Я не можу поворухнути крильцями! А як же мій виступ!

На крики Цвіко прибігла його сестричка Цвірка.

— Не хвилюйся, я спробую замінити тебе, — заспокоювала вона брата. — А до наступного свята музики ти одужаєш!

— Але ж ти погано співаєш! — засумнівався Цвіко. — Слухачі будуть невдоволені.

Та вибору не було. Цвіко не міг виступати, тож довелося сестрі виручати брата.

Цвіко не помилився. На концерті Цвірка співала гірше за всіх.

— Жахливо! Просто жахливо! — обурювалися всі цикади, які прийшли на концерт. — Геть зі сцени!

22

Тоді Цвіко піднявся на сцену й звернувся до публіки:

— Прошу уваги!

Цикади притихли.

Цвіко розповів про свою хворобу й про те, як сестра хотіла його виручити. Потім додав:

— Цвірка ще не вміє гарно співати, але я вчитиму її. Наступного року ми заспіваємо з нею разом! Обіцяю — вам сподобається!

— Гарна ідея! Ми згодні! — загукали цикади.

Вони почали плескати в долоні й скандувати:

— Цвіко! Цвірка! Цвіко! Цвірка!

Вдома Цвіко подякував сестрі за те, що вона хотіла допомогти йому, і заспокоїв її — адже Цвірка ледь не плакала від сорому.

Цвіко цілий рік навчав сестру співу, і коли вони наступного року виступили на святі музики, то мали справді шалений успіх!

23 Верблюд Клоло

Верблюд Клоло перейшов до нової школи.
Звірята-школярі вперше побачили верблюда, тож коли Клоло зайшов у клас, засипали його запитаннями:
— Чому в тебе горби? А тобі не боляче? А тобі горби не заважають?
— У всіх моїх родичів є горби... — знічено відповів верблюд.
Однак така увага з боку однокласників його бентежила, тож він вирішив позбутися горбів, аби бути таким, як інші звірі.
Клоло цілий вечір качався по землі, щоб горби стали пласкими, але марно! Наступного дня горби були ще більші, адже він понатирав на них мозолі!
— Не переймайся, Клоло, — лагідно мовив до нього вчитель. — Ти ж верблюд, тому й маєш бути з горбами. До того ж це дуже зручно — ти можеш носити на собі різні речі!
— О, як чудово! — захоплено закричали інші звірята. — А зможеш носити наші портфелі?
Звісно, Клоло погодився, адже портфелі були зовсім не важкі. А він був сильним верблюдом!

24 Восьминоги

Восьминіг Спідо разом зі своїм другом Пупі вирушив до коралових рифів, щоб там погратися. Батьки Спідо не дозволяли йому гратися біля рифів, бо це було небезпечно, але він вирішив зробити по-своєму.
— Як тут гарно! — вигукнув Спідо, коли побачив величезні рифи. — А давай залiземо аж нагору!
— Ні, не можна, — заперечив Пупі. — Ми можемо застрягнути в дірках! Це небезпечно!
— Та ні! — відповів Спідо. — Адже в нас є щупальця. Просто чіпляйся ними за виступи скелі — і вперед! Бачиш, я вже нагорі!
Пупі хотів також видертись на риф, але його щупальце потрапило в щілину і застрягло!
— Я не можу звільнитися! — закричав він, ледь не плачучи.
— А що це ви тут робите? — раптом почувся грізний голос. — Хіба я не казав вам, що це небезпечно?
То був тато Спідо — і він був дуже розгніваний...
Щупальце Пупі визволили з пастки, а Спідо було покарано за непослух.

25 Пташиний пілотаж

— Ти надто високо літаєш! — сварили чайку Забет її мама й тато. Але Забет не слухалася. Їй подобалось літати високо в небі й виконувати складні віражі — як літак.

— Подивіться на мене! Гляньте, як я вмію! — гукала вона до своїх подруг, які ловили рибку в воді.

— Як гарно! Ми теж хочемо навчитись так літати! — зітхали чайки. Їхні батьки також веліли їм літати низько над водою...

І Забет вирішила потай від дорослих навчити подруг гарно літати.

Минуло кілька місяців. І ось одного дня молоді чайки запросили своїх батьків на показові виступи. Всі чайки всілися на скелях і приготувалися дивитись.

І батьки побачили, як їхні чаєнята злітають високо в небо й виконують там складні, але дуже гарні фігури!

— Чудово! Надзвичайно! Молодці! — почулися захоплені вигуки.

І з того часу всі чаєнята почали вчити фігури вищого пташиного пілотажу.

А навчала їх, звичайно ж, Забет!

26 На добраніч!

Лінивець Сліпі цілісінький день спить. А що ж йому ще робити — він же лінивець! Тому він міцно чіпляється за товсту гілку дерева й солодко засинає. І вже ніхто його не може розбудити, аж поки сам не прокинеться!

— Давайте розбудимо його, хай пограється з нами, — якось запропонував папугам пітон.

Він виліз на гілку, звідки лунало хропіння Сліпі, обвився навколо неї і зашепотів:

— С-с-слі-і-і-пі, ти йдеш-ш-ш гратися?

Сліпі лише лапкою ворухнув та й далі солодко спав собі.

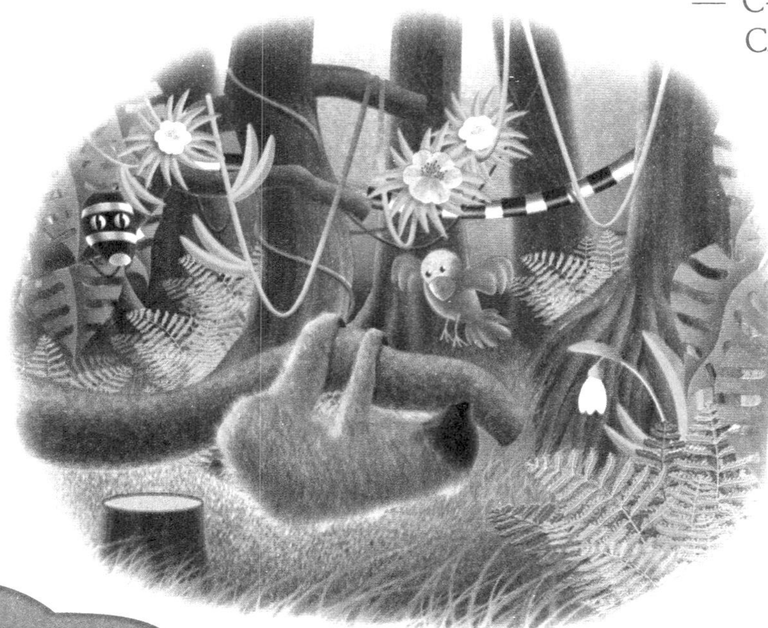

Папуги теж спробували його розбудити. Вони й пір'їнками його лоскотали, і гілочками, і гукали до нього, але все було марно — не так-то просто розбудити лінивця!

Так вони будили його цілісінький день, аж потомилися. І спати захотілося.

Тож усі вмостились біля м'якенького Сліпі й також солодко заснули...

27 Дятел Піко

Дятел Піко завжди при ділі. Всі звірята в лісі потребують його допомоги!

Якось у двері його дупла постукала білка:

— Піко, допоможи! Мені треба розширити віконце, бо в дуплі дуже темно...

— Гаразд, зараз я прийду, — відповів Піко.

Розширювати віконце — справа не з легких, тож Піко добряче стомився, поки закінчив роботу. Зате білка була задоволена — тепер у її дуплі було світло.

— Це ви тут здійняли такий шум? — раптом почув він.

Піко озирнувся і побачив гарненьку дівчинку-дятла.

— Ви трохи поранились, дозвольте, я полікую ваш дзьоб, — сказала вона. А потім змастила тріщинку на дзьобі соком цілющої трави.

— Тепер кілька днів не стукайте дзьобом, — порадила вона. — А якщо комусь треба буде терміново допомогти, я зроблю це сама.

Ось так Піко знайшов гарненьку подружку. Тепер вони допомагали звірятам разом, а ті їм щиро за це дякували!

28 Поранений кит

— Лікарю! Кит Балі поранився! — перелякано кричав краб. Він сам не бачив цього, але йому розповіли рибки, котрі зустріли пораненого кита неподалік.

Лікар Пінцет хутко взяв свою валізку з ліками й поспішив оглянути хворого.

— Але ж цей кит такий величезний! Як же я огляну рану? — скрушно похитав головою лікар.

— Сідайте на мій плавець, — запропонував кит, — і я підніму вас нагору.

Забравшись на спину кита, лікар Пінцет почав обдивлятися рану.

— Я ненароком зачепився за корабель і поранився, — скаржився Балі. — Мені боляче!

— Нічого серйозного, поранення не глибоке, — заспокоїв його лікар. Він виписав йому ліки, а потім додав:

— Бачиш, он там ростуть водорості? Щоранку прикладай їх до рани — і за тиждень будеш, немов новенький!

Балі робив усе, що звелів йому лікар, і скоро одужав. А щоб подякувати крабові та рибкам за порятунок, влаштував для них вечірку!

29 Балакучий крокодил

В Африці крокодили частенько грають у футбол — ще б пак, адже це надзвичайно цікава гра! Усі хочуть мати за воротаря Моко, бо він дуже добре ловить м'ячі. Але є в нього й одна погана звичка — він дуже балакучий.

— Кидайте м'яч, — кричить він під час гри. — Зараз я його спіймаю! Кидайте! Та чого ж ви не кидаєте!

— Припини базікати! — просять його друзі. — Будь уважнішим!

Але Моко не змовкає ні на хвилину. І ось одного разу, коли він ловив м'яч, стоячи на воротах і продовжуючи теревенити, м'яч влетів йому просто в пащу!

— Якби ти стільки не патякав, такого не сталося б, — засміялися крокодили. — Не рухайся, ми зараз тобі допоможемо!

Моко і оком кліпнути не встиг, як друзі витягли м'яч у нього з рота, а щелепи міцно зв'язали.

З того часу Моко грає у футбол зі зв'язаними щелепами, і знаєте, у нього це виходить набагато краще! Він став ще кращим воротарем.

30 Змагання фламінго

Що відбувається біля озера? Там зібралося багато рожевих фламінго і всі вони чогось чекають… Фламінго готуються до змагань!

— Увага! Змагання починаються! — оголосив суддя-папуга. — Правила такі. За моїм сигналом ви всі стаєте на одну ногу. Хто довше простоїть, той виграє приз — відерце креветок.

— Звісно, я виграю, — подумав кожен фламінго. — І креветки будуть моїми.

— УВАГА!

Папуга свиснув, і всі фламінго підняли одну ногу, залишившись стояти на другій.

Спливали хвилини, і раптом…

— Ой, я більше не можу так стояти!

ГУП!

Фламінго, який першим стомився стояти на одній лапі, впав просто на свого сусіда, а той на іншого фламінго — і за мить усі птахи лежали на землі!

Як же тепер визначити переможця?

Папуга трохи подумав і вирішив розділити усі креветки порівну!

— Нехай переможе дружба, — сказав він, і фламінго були дуже задоволені з такого рішення!

1 Комар Піко

Піко та його друзі-комарі отаборилися неподалік від наметів туристів. Вони потай раділи цьому: адже кров людей така смачна! Але головний комар зібрав усіх комарів і скомандував:
— Послухайте мене! Сьогодні вночі ніхто не повинен залітати в намети, дзижчати і кусати дітей чи дорослих. Не будемо псувати їм відпочинок!
— Гаразд, — погодились комарі. — Не будемо їх зачіпати.
Але комар Піко нічого не відповів. Йому дуже подобалось кусати дітей — у них така ніжна шкіра!
— Можна, я тільки одного малюка вкушу? — запитав він.
— Ні, не можна! — сказав як відрізав головний комар.
Піко зітхнув і полетів разом із друзями влаштовуватись на нічліг.

Увечері всі комарі хотіли було летіти до наметів, щоб покусати і дорослих, і діток. Але головний комар усе продумав. Він організував для них змагання. Комарі довго літали наввипередки і зрештою так потомились, що їм уже нічого не хотілось.
— О, ні! Не треба більше змагань! Ми хочемо відпочити! Давайте вже лягати спати, — стогнали вони.
Втомлені комарі попадали на свої ліжечка і тієї ж миті заснули. Але Піко навіть не думав спати!
— Я тільки один раз вкушу когось — і все! — пообіцяв він собі й полетів до наметів. — Один лише разочок!
— З-з-з-з-з! — дзижчав Піко, літаючи наметом. Він покусав усіх діток, що там спали, — кого в щічку, кого в носик, а кого в руку чи ніжку...
— М-м-м! Але й смачно було! — радів Піко, повернувшись назад. Він ледве-ледве заснув — так наївся! — Сподіваюсь, ніхто не дізнається, що я не послухався!

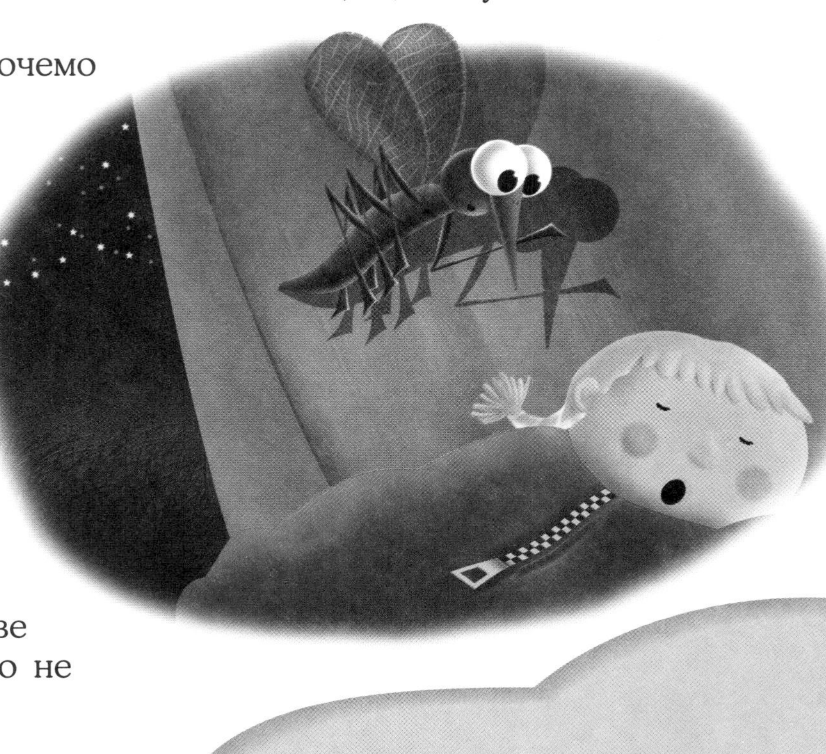

3

Наступного дня Піко прокинувся зовсім хворий. У нього дуже болів живіт — ще б пак, він минулої ночі так наївся!

— Всі сюди, — покликав головний комар.

Піко намагався злетіти, махав крильцями, але марно... Його животик був надто великим, і Піко не міг летіти.

І тоді всі комарі зрозуміли, що сталося.

— Ану, лети-но сюди! — звелів Піко головний комар.

— Я не можу... Я зараз усе поясню, — почав бурмотіти Піко. Йому було дуже соромно.

— Я все зрозумів, — вигукнув комар. — Ти мене не послухався і вночі літав у намети! Ти кусав дітей! Ввечері ти будеш за це покараний.

Піко цілий день аж трусився з жаху. Як же його покарають?

Коли всі комарі вилетіли на полювання, головний комар підлетів до Піко і зав'язав йому носика ганчірочкою!

— Гарного вечора, Піко! — посміхнувся він.

Того вечора в наметах було тихо — жоден комар не дзижчав!

4 Краби-танцюристи

— Тату, в мене так болять лапки! — жалівся маленький краб Карло.

— Що трапилось, синку? — запитав тато-краб. — Може, ти надто багато танцював у школі танців?

— Так, — зітхнув Карло. — І я більше не хочу туди ходити, бо не вмію танцювати так гарно, як інші краби!

Але тато-краб порадив йому таки піти. Засмучений Карло поплентався до школи. По дорозі він зустрів дівчину-краба, яка сиділа на камені й гірко плакала.

— Чому ти плачеш? — лагідно запитав він.

— Я не хочу йти до школи танців, бо зовсім не вмію танцювати! — пхинькала вона.

— Я теж не вмію! — вигукнув Карло. — Нічого, ходімо повчимося разом!

І двоє крабів пішли до школи. Вони не вміли танцювати так гарно, як інші краби, але їм було так весело разом! А танцювати вони ще навчаться.

З того часу Карло ходив до школи танців з величезним задоволенням.

5 Подарунок для лисеняти

У лисеняти Феба почалися канікули, і він разом із мамою вирушив подорожувати. Феб весело біг по стежині, але згодом стомився і почав пхинькати:
— Мамо, я більше не можу йти! В мене вже лапки болять!
— Тоді, синку, ми більше не будемо йти пішки, а заскочимо на першу ж машину, яка проїжджатиме по дорозі! Вона нас підвезе.
І щойно мама-лисиця це сказала, як на дорозі з'явилася вантажівка. З неї чулося: «Ко-ко-ко!».
Феб і його мама стрибнули в кузов.
— Неймовірно! — вигукнула мама-лисиця. — Ціла вантажівка курей!
— А куди вони їдуть?
— Їх продадуть на базарі, а потім із них зварять суп, — відповіла мама-лисиця.
— Який жах! — вигукнув Феб. — Матусю, ти обіцяла мені подарунок, коли почнуться канікули. Я придумав, що хочу! Я хочу, щоб ми відкрили усі клітки і звільнили цих курей!
— Ко-ко-ко! Ко-ко-ко! Дякуємо вам! Гарного відпочинку! — гукали вслід машині кури.

6 Бенкет для кроликів

Кролик Лео прибіг до своїх братів і сестричок:
— Ходімо швидше зі мною! Я знайшов величезну морквину коло річки! Ми влаштуємо справжній банкет!
Усі кролики одразу ж побігли подивитися на чудо-моркву. Вони були дуже здивовані, коли її побачили, — морквина справді була величезна!
— Хрум-хрум-хрум! — почали хрумати кролики. — Як смачно! Яка велика ця морква — вистачить усім!
Кролики їли, їли й нарешті схрумали цілу морквину. Залишилася лише дірка в землі. Раптом звідти вигулькнула голова крота Біка.
— Дякую вам! — мовив він. — Нарешті в моїй нірці буде світло. Ця морквина так мені заважала — вона постійно затуляла від мене сонце! А я вже надто старий, щоб упоратися з нею!
Кролики також були дуже задоволені. Вони так наїлися, що не те що стрибати — ходити не могли! Так і поснули біля кротячої нірки із напханими животиками!

7 Собака Мот

— Добридень, Моте! — щоразу віталися із старим собакою кілька молодих собак. — Смачного!
Але Мот не озивався і навіть не вітався з іншими собаками. Він дуже пишався собою — хоч у нього й не було домівки, але він щодня харчувався наїдками з ресторану. Кухар Педро завжди виносив йому смачні кісточки та інші ласощі.
Одного дня Мот, як завжди, пішов вечеряти на задній двір ресторану.
— Мабуть, Педро вже поклав мені в миску кілька смачних кісточок! — думав він.
Але з ресторану до нього ніхто не вийшов. І в його мисочці не було ні кісточок, ні супу, ні каші — зовсім нічого!
Мот просидів під рестораном кілька годин, але Педро так і не з'явився. І ніхто не виносив йому їжі... Він дуже засмутився, бо ж був такий голодний!

8

— Що трапилось? — запитали у Мота молоді собаки. — Чому ти такий сумний? Невже кісточки були несмачні?
— Мабуть, Педро уже не працює в ресторані, — сумно відповів Мот, — інакше би він погодував мене. А так ніхто не виніс мені ані крихти... Я такий голодний!
Мот опустив хвоста і понуро пішов геть.
Тоді молоді собаки вирішили йому допомогти.
Вранці вони принесли з дому різні наїдки і поклали у мисочку Мота.
Собака очам своїм не повірив! Він подякував за гостинці й смачно поїв.
І з того часу більше ніколи не був голодний, бо собаки приносили йому і кісточки, і різні смачні страви!
І нехай у нього не було домівки — у Мота з'явилися друзі! Тепер він завжди радо спілкувався з іншими собаками і ніколи не почувався самотнім.

9 Очі Лілі

Бабка Лілі та її подружки полюбляють літати коло ставка — адже там живе соловейко Дорі, а він їхній друг.
— Давай гратися в піжмурки, — запропонувала якось соловейкові Лілі.
— Давай! — відповів соловейко. — Щоправда, я не знаю, чи зможу вас знайти! У вас такі прозорі крила, що їх зовсім не видно на сонці! Певно, я вас не знайду.
Але бабки таки вмовили його гратися. І от усі вони заховалися серед квітів, а соловейко почав шукати.
Він дивився і тут, і там, але нікого не бачив!
— Ех, — нарешті зітхнув він. — Я нікого не знайду!
Він вже було зібрався сказати, що більше не грається, аж раптом помітив два дивні кола на квітці. Вони рухалися!
— Лілі! Я знайшов тебе! — радісно вигукнув Дорі. — Тебе виказали твої великі очі! Я виграв!
— Так, цього разу ти виграв! — погодилась Лілі. — Але май на увазі — у мене гарний зір, тому я знайду тебе заввиграшки! Тож ховайся краще!

10 Гієна та її подружки

Одного разу гієна Елен вирішила, що годі вже бути самій. Адже на самоті так сумно — вона майже ніколи не сміялася!
— Піду знайомитися з сусідками, — вирішила вона. — Я хочу веселитися, як і вони!
Сказано — зроблено. Елен прийшла до сусідок-гієн, привіталась і сказала:
— Ви завжди такі веселі! Як у вас це виходить?
— Ми радіємо, бо життя таке чудове! — відповіли гієни. — У нас є домівка, до того ж завжди є що їсти! Коли леви когось уполюють і поїдять, ми завжди можемо поласувати тим, що залишилось. Хіба ж це не чудово?!
Раптом у заростях почулося гарчання.
— Ну от! Лев кличе — можна йти обідати! Хочеш, ходімо з нами! — запропонувала гієна.
— Залюбки! — зраділа Елен. — А потім я можу розказати вам якусь цікаву історію — я їх стільки знаю! І ми чудово розважимося!
Елен більше не сумувала — в неї з'явилися подруги! Вони разом проводили час і їм завжди було весело.

11 Зіронька

Зіронька Мел була дуже незграбна. Коли інші зірки починали бігати наввипередки і стрибати, вона щоразу примудрялася впасти. І ось одного разу вона так незграбно стрибнула, що не втрималась на небі й покотилася вниз. Зіронька Мел упала в океан! Там було так темно і страшно!

Щоб хоч трохи розсіяти темряву на дні, зіронька засяяла що було сили. Але це її так стомлювало, що за кілька днів вона почала згасати.

Сардина Сарина, пропливаючи біля зірки, звернула увагу на те, що вона дуже зблідла.

— Мабуть, тобі потрібно відпочити, — поспівчувала вона Мел. — Я попливу до своїх друзів — білих кальмарів, може, вони щось придумають.

І кальмари дійсно придумали! Адже в темряві вони починали світитися. Тепер удень білі кальмари плавали біля зіроньки, і їй вже не було темно і страшно. А вночі Мел знову сяяла на дні океану, згадуючи рідне небо, де залишилися всі її подруги...

12 Мишка-хитрунка

Мишка Дінь була в розпачі. Коли б вона не вийшла на вулицю, на неї чатували хижі лиси! Вони хотіли її з'їсти — бо ж Дінь була єдиною мишкою в лісі.

— Я більше не можу! — говорила знайомим Дінь. — Скільки можна на мене чатувати? Ви тільки погляньте, як я схудла! Ці лиси мене просто заганяли!

І Дінь вирішила обдурити лисів.

— Послухайте, — сказала вона їм, — я згодна, щоб ви мене з'їли, але раджу вам мене спершу відгодувати — бачите, яка я худа!

Лиси погодились і кілька тижнів приносили їжу до нірки Дінь. Вона все гарненько з'їдала і обіцяла, що скоро стане товстенькою, а тоді вже лиси зможуть нею поласувати.

Нарешті терпець лисів урвався — їм набридло відгодовувати мишку. Вони увірвалися до її нірки... але Дінь там не було! Вона гарненько відгодувалася, набралася сил, вирила тунель і втекла далеко-далеко! Ось так Дінь перехитрила лисів!

13 Морський коник

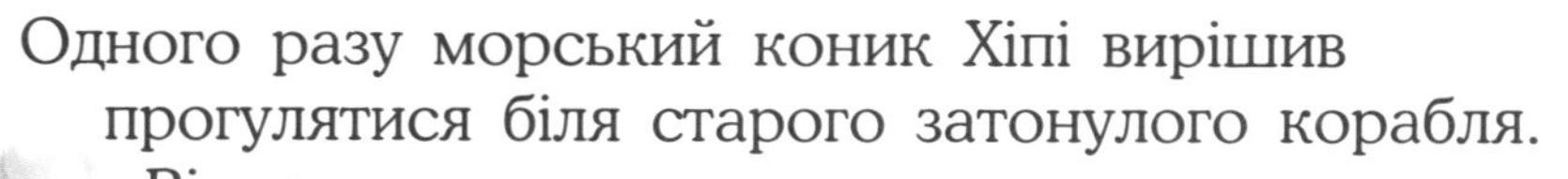

Одного разу морський коник Хіпі вирішив прогулятися біля старого затонулого корабля. Він довго плавав навколо нього, обдивляючись з усіх боків, а тоді вмостився біля борту в зручному місці й задрімав. І раптом до нього підплив величезний чорний спрут.

— Не бійся мене, — прошепотів він, — я спрут-чарівник і можу здійснити твою заповітну мрію!

— Я не боюсь, пане спруте, — тремтячим голосом мовив коник. — Знаєте, я мрію...

Тієї ж миті навколо нього закрутився вихор, і він опинився на зеленому полі серед справжніх коней! Вони всі кудись бігли — це були змагання!

Завдяки спруту-чарівнику здійснилась найзаповітніша мрія морського коника — хоч на якийсь час стати справжнім конем! Разом з іншими кіньми Хіпі помчав до фінішу.

14

Хіпі вирішив будь-що виграти і стати чемпіоном серед коней.

— Ану, з дороги! — вигукнув він і поскакав щодуху.

Спочатку Хіпі відставав від решти коней, потім наздогнав їх, а тоді обігнав геть усіх! Він прибіг до фінішу першим! Під гучні оплески і крики глядачів йому почепили на шию справжню золоту медаль!

Раптом усе навколо коника знову закрутилось, і він незчувся, як знову опинився на палубі старого корабля. Чорний спрут-чарівник зник, а золотої медалі як і не було...

Коли Хіпі розповів про свою неймовірну пригоду друзям, йому ніхто не повірив.

— Ти все вигадав! Або тобі це наснилося! — сміялись вони.

Однак Хіпі вірив у те, що одного разу чорний спрут-чарівник перетворив його у справжнього коня. Так це було чи ні, але з того часу Хіпі вигравав майже всі змагання морських коників і справді отримав золоту медаль!

15 Стара пантера

Чорна пантера Лі помітила, що останнім часом дуже постаріла. У її розкішному чорному хутрі з'явились сиві шерстинки! Лі дуже засмутилась — адже її завжди називали найвродивішою пантерою у джунглях! А ця сивина все псує!
Лі вирішила піти до журавля-чарівника і попросити поради.
— Щоб твоє хутро було одного кольору, тобі потрібно дві ночі поспати під старим дубом, а потім скупатися в озері Чорного місяця, — сказав журавель.
Лі сумлінно виконала всі поради: дві ночі вона солодко спала під величезним старим дубом, потім скупалася в озері. Вийшовши на берег, пантера з цікавістю поглянула не себе у воду. Журавель сказав правду — її хутро тепер було одного кольору. Але воно було все сиве, а не чорне!
Та Лі недовго сумувала, бо всі звірі сказали їй, що вона все одно залишилась найвродливішою пантерою!

16 Скорпіон пустелі

Скорпіон Ері жив у пустелі, і це йому дуже подобалось. Він милувався краєвидами, грівся на сонечку, лежав на теплому піску, дихав чистим повітрям — і почувався зовсім щасливим.
Однак його весь час тягнуло до людей. Ері не хотів гратися з іншими скорпіонами, а намагався бути ближче до людей, щоб вивчити їхню мову. Вона здавалась йому такою гарною!
Але з цим Ері не щастило, бо люди рідко з'являлися в пустелі, до того, побачивши скорпіона, тікали від нього — щоб не вкусив.
Та одного разу до Ері підкрався лихий чоловік і впіймав його! Він поклав скорпіона в банку й повіз до міста. А через кілька днів банку із скорпіоном виставили у вітрині магазину — щоб усі могли дивитися на нього. Тепер він був серед людей, але йому було дуже сумно й самотньо, і він часто згадував свою рідну пустелю...

17 Неслухняні вовченята

Двоє маленьких вовченят Ром і Рем хотіли довести мамі-вовчиці, що вони вже цілком дорослі. Вона ще забороняла їм виходити самим на вулицю — щоб не поранилися чи не потрапили в яку халепу.
Але вовченята вирішили самі піти на полювання.
Вранці в лісі було дуже холодно і дув холодний вітер, та Рома і Рема це не зупинило!
Злий лис побачив, як малята вийшли з лігва.
— Гарний матиму обід, — подумав він.
У цей час мама-вовчиця, відчувши небезпеку, прокинулась! Вона вибігла з лігва й побачила лиса. Вовчиця загарчала й кинулась до нього, щоб захистити своїх малюків. Вовченята почули шум, повернулись і побачили, що їхня мама б'ється з лисом. Вони дуже злякались і завили, як справжні дорослі вовки!
— У-у-у-у-у-у!
Лис повернувся і дременув до своєї нори. А мама-вовчиця повела Рома і Рема додому. І вони пообіцяли їй, що більше ніколи без дозволу не вийдуть з лігва самі.

18 Окуляри для кенгуру

Кенгуру Віллі потрібні окуляри! Він часто не помічав перешкод, спотикався і навіть боляче забивався.
Але Віллі боявся, що над ним усі насміхатимуться. Де ж це таке видано — кенгуру в окулярах! Він уявив, як усі звірі почнуть дражнитись:
— Віллі-Віллі, чотири ока! Кенгуру в окулярах — хі-хі!
Однак мама Віллі наполягала на тому, щоб син одягнув окуляри.
— Небезпечно ходити без окулярів, якщо погано бачиш! — сказала вона. — Ти можеш не помітити якогось хижака, а він скористається цим і нападе на тебе!

Вінні, подруга Віллі, вирішила його підбадьорити. Вона одягла темні окуляри. Тоді Віллі перестав соромитись і одягнув свої окуляри, й вони радісно пострибали гратися!
Тепер Віллі усе гарно бачив і більше ніколи не натикався на дерева. Та й хижаків ніколи не боявся!

19 Коник Фло

Коник Фло не любив шуму й біганини. Коли інші коні скакали в полі чи проводили змагання, він ішов до тихого затишного озерця з очеретом. Там у нього було чимало друзів! Але коні почали докоряти Фло, що він їх уникає.
— Чому ти не хочеш з нами бігати? Невже тобі подобається лежати на березі? — допитували вони. — Ти такий нудний!
Тоді Фло вирішив їх здивувати. Він покликав усіх своїх маленьких друзів з озера, щоб приготувати вечірку для коней. Світляки були ліхтариками, жабки — музиками, метелики прикрашали столи, а чаплі подавали наїдки. Коні були надзвичайно вражені! З того часу вони вже не вважали Фло нудним. Вони зрозуміли, що йому просто подобаються інші розваги. Кожен сам вибирає, що йому більше до вподоби. А коли треба було організувати вечірку, коні завжди просили Фло взяти це на себе.

20 Кумедні мавпочки

— Гик! Гик! Та годі вже! Гик! Не вдавайте із себе клоунів, — благав шимпанзе Рафаель. — Я так насміявся, що аж гикавка на мене напала!
Це було просто жахливо! Його маленькі брати блазнювали і корчили гримаси, а він не міг стриматись від сміху! Рафаель сміявся від ранку до ночі.
— Ось я провчу цих блазнів, — якось вирішив він. — Вони надовго перестануть мене смішити!
Вночі маленькі мавпочки прокинулись від дивних звуків. Перед ними стояло якесь чудовисько з рогами й не то гарчало, не то мукало! Воно було таке дивне, що мавпочки, замість того, щоб злякатись, почали сміятись. При цьому вони так кумедно вирячували очі й качались по підлозі, що Рафаель (а це він убрався чудовиськом) не витримав і теж розсміявся.

— Які ви кумедні! Гик! Гик! — і він знову почав гикати!
Так і не зміг Рафаель провчити своїх маленьких братів.

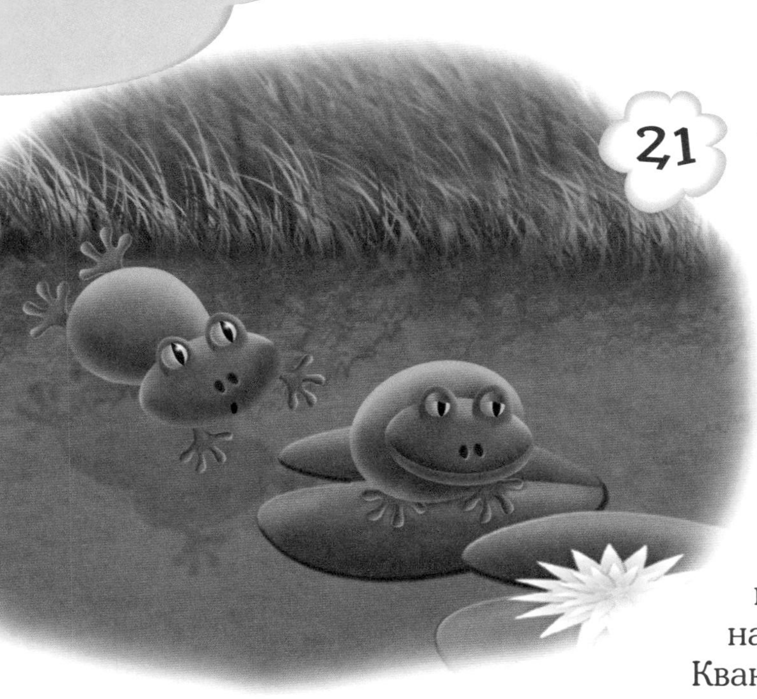

21 Чудовисько у ставку

Одного разу жабка Квакша вирішила перебратися разом зі своїми жабенятами на інший бік ставка.

— Не відставайте, стрибайте за мною, і з вами не трапиться нічого лихого! — звеліла вона. П'ятеро жабенят радо пострибали за мамою-жабкою.

Але шосте не хотіло нікуди стрибати! Якось воно бачило чудовисько, що виглядало із ставка. І з того часу жабеня навіть води боялося.

Квакша взяла маля собі на спину і пострибала разом із ним. А в тому ставку жила величезна щука. І ось вона висунула з води свою пащеку!

— Це чудовисько! — закричало жабеня.

— Швидше стрибайте за мною, — гукнула мама-жабка.

Вона стрибнула на латаття, де спала її подруга — жабка Піпі. Та прокинулась і жахнулась:

— Квакшо, рятуй діток! Вони ще дуже погано стрибають!

22

Квакша стрибнула в воду.

Але всі її дітки десь зникли! Тільки щука хижо дивилася на неї блискучими, як скло, очима.

Піпі запропонувала:

— У мене є ідея! Якщо вона їх проковтнула, нехай щосили стрибають в животі.

І всі жабенята почали стрибати у шлунку щуки. Щука захиталася з боку в бік. Жабенята так її розгойдували, що врешті вона очманіла. Тоді щука виплюнула всіх жабенят і попливла собі далі.

— Мої любі, — ніжно обійняла своїх діток Квакша.

— Я так злякалась! Добре, що ви живі!

І вона звернулась до Піпі:

— Їх треба навчити гарно й швидко стрибати! Чи не могла б ти мені допомогти?

— А чудовисько більше не повернеться? — запитало одне з жабенят.

— Ні, воно вже не їстиме жабенят — бо ж бачиш, ви йому не сподобались, — засміялися Квакша і Піпі.

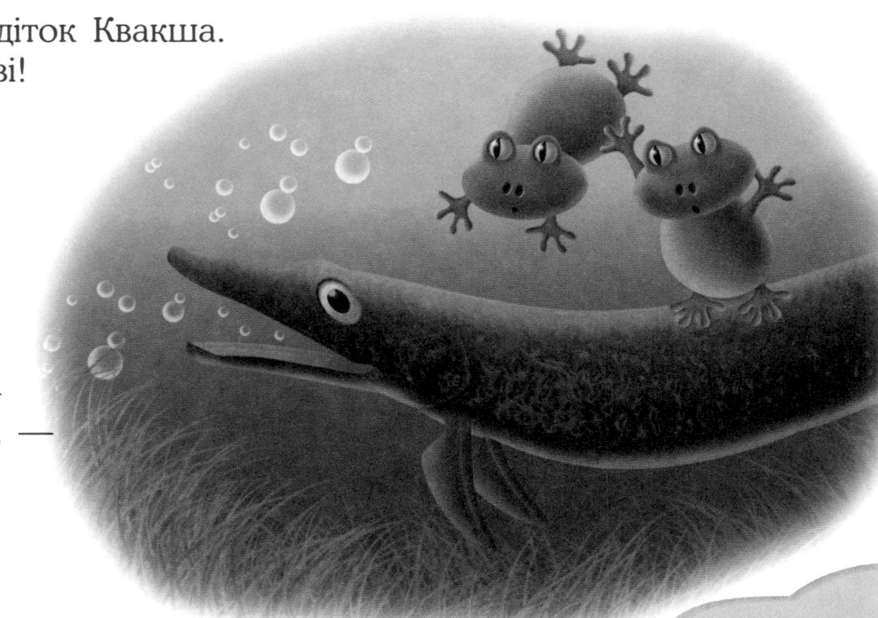

23 Крокодил Луї

У крокодила Луї заболів зуб. Біль був просто жахливий! Таті, подруга Луї, викликала лікаря Тукана. Той прийшов і запитав, що сталося.
— Лікарю, в мене болить зуб, — пожалівся Луї.
— Я маю оглянути твої зуби, — сказав Тукан.
— Відкрий рота і не закривай його, гаразд?
— Добре, лікарю, — пообіцяв крокодил.
Луї широко роззявив рота, і лікар Тукан обережно зайшов усередину. Та Луї задивився на щось і ненароком стулив щелепи!
Таті плеснула крокодила по носі, й Луї одразу ж знову відкрив пащу. З неї виглянув роздратований лікар Тукан.
— Луї, якщо ти так робитимеш, я не буду тебе лікувати! — суворо сказав він.
Тоді Таті поставила між щелепами Луї палицю, щоб він не міг стулити їх. Врешті лікар знайшов величезну риб'ячу кістку, яка застрягла в зубі крокодила. Він витягнув її.
— Вже не болить! — зрадів Луї. — Дякую, лікарю!

24 Гра в піжмурки

Одного разу бегемотик Гіпо запросив жирафу Софі погратися в піжмурки на березі озера. Та коли Софі прийшла до озера, то нікого там не знайшла. Вона почала кликати:
— Гіпо! Гіпо!
Ніхто їй не відповідав. Засмучена Софі вже хотіла йти додому, аж раптом почула шепіт:
— Софі! Софі!
Жирафа уважно подивилась на озеро, але нікого там не побачила! Але коли нахилилась до води, то помітила хитрезні очі Гіпо!
Софі зробила вигляд, що нічого не помічає, і почала пити воду. А Гіпо вирішив іще раз пірнути, перш ніж вийти на берег до Софі. Жирафа ж тим часом встигла сховатися за кущем!
Коли Гіпо вийшов з озера, то побачив, що Софі немає. Він почав її шукати:
— Софі! Софі!
Раптом вгорі він почув шепіт:
— Гіпо!
Жирафа так заховалась, що тільки високо над кущем виднілась її голова. Гіпо засміявся.
— Гаразд, виходь та будемо гратися! — сказав він.

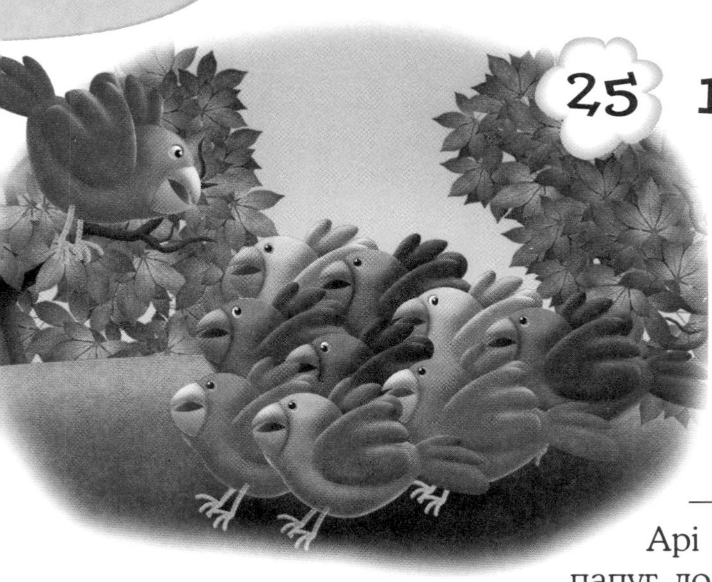

25 Папуги і навушники

У школі папуг завжди шумно. Вчителю Арі дуже важко проводити заняття!
Папуги весь час говорять, і з цим нічого не можна вдіяти.
— Тихо! — каже вчитель.
— Тихо! Тихо! — повторюють учні.
— Ви будете мене слухати? — запитує роздратований Арі.
— Слухати! Слухати! — повторюють папуги.
Арі всю ніч міркував, як же привчити маленьких папуг до дисципліни. І нарешті придумав! Вранці він прийшов до школи з навушниками.
— Ось, одягніть їх! — сказав він учням. — Коли я вкажу на когось із вас, він зніме навушники, послухає моє запитання і дасть відповідь.
Тепер у класі було завжди тихо, і вчитель міг спокійно опитати всіх папужок.
Одного дня до школи не прийшли двоє папуг.
— Вони захворіли? — запитав вчитель Арі.
— Ні! — відповіли учні. — Просто вони обожнюють навушники. Тому й вирішили не ходити до школи, а відкрити магазин із продажу навушників для папужок!

26 Кажани

— Усім спати! — звеліла мама-кажаниха дітям.
Кажани сплять униз головою, вчепившись лапками за балку, що під стелею. Замість ковдри у них крила. Але маленький Колін не хотів спати, як усі кажани.
Він почав пхинькати:
— Я не можу так спати! У мене паморочиться в голові!
— Та це ж легко, — сказав його брат Анрі. — Просто чіпляєшся лапками — і спиш.
— Ні, я боюсь! — плакав Колін.
— Гаразд, — мовила мама-кажаниха. — Давайте всі спробуємо спати на нижній балці — майже біля підлоги. Ми на неї почепимось, а Колін буде спати стоячи. І в голові не буде паморочитись.
Тож усі кажани повисли на низькій балці.
А Колін загорнувся у крила і став поруч.
Вранці мама-кажаниха злякалась:
— А де ж наш Колін?
— Вгорі! — вигукнув Анрі.
— Доброго ранку! — привітався Колін. — А мені наснилося, що я більше не боюсь, — я й перебрався під стелю!

27 Так і Ні

У тата і мами мавп був маленький син, якого звали Так. І все тому, що він на все відповідав «так»! Хоч правда була, хоч неправда, він говорив:
— Так! Звичайно, так!
Тому інші мавпочки не дуже йому довіряли і не хотіли з ним дружити.
Одного разу мама-мавпа запитала в Така:
— Ти сьогодні вмивався?
— Так, мамо! Так! — відповів Так.
— То чому ж ти такий брудний? — суворо запитала мама.
— Так... у мене не було мила! — викрутився Так.
— Ось зараз я тобі дам мило! — грізно насупив брови тато.
— Так, таточку! — відповів Так і хутко втік!
Це могло тривати довго, але одного разу Так познайомився з мавпочкою на ім'я Ні! Вони потоваришували.
І тепер Так іноді каже «ні» — принаймні, коли кличе свою подружку.
Батьки ж його дуже цим задоволені! Може, він почне говорити правду?

28 Мурка і Алі

Одного разу домашній киці Мурці стало дуже самотньо. Вона вирішила вийти надвір погуляти.
— Там краще, ніж на кухні! — вигукнула киця.
І пішла прогулятися в садочку.
— Як гарно! — милувалася вона квітами.
— Привіт! Ти хто? — раптом почула Мурка і побачила біля себе кота.
— Мене звати Мурка і я вперше вийшла погуляти!
— А я Алі! Дуже приємно! — відповів кіт.
— Тут такі гарні квіти, — поділилася враженнями киця. — Я ніколи таких не бачила!
— Мурко, іди їсти! — почулося з будинку.
Алі дуже засмутився.
— Я скоро повернуся, — пообіцяла Мурка.

Киця швиденько поїла смачної смаженої рибки і знову вибігла надвір. Вона прихопила шматочок рибки й для Алі, а той чекав на неї з букетом квітів!
— Який він гарний, — подумала киця. — З ним, мабуть, можна товаришувати!
— Яка ж красуня, — думав собі Алі. — Я думаю, ми подружимось!

29 Курочка Коко

Курочка Коко сердилась, коли господиня забирала знесені нею яйця.

— Так і має бути, — пояснила їй курка Паула. — Ми кури-несучки. Тому маємо віддавати яйця, щоб люди могли годувати своїх діточок. А ще іноді наші яйця краде хижий лис. То вже краще хай їх забирають люди!

— Але я також хочу діток! Хочу, щоб у мене були курчата!

— Для цього, Коко, тобі доведеться вийти заміж за півника!

— Але мені не подобається жоден півень на фермі, — задерла дзьоба Коко. — Може, десь є кращі...

І Коко вирушила в подорож. Перед дорогою вона вдосталь наїлась смачного зерна, і тепер відчувала себе повною сил.

30

Раптом Коко помітила на лісовій стежині хижого лиса.

— Ах ти, негіднику! — вигукнула вона. — То це ти крадеш уночі наші яйця?!

— А хоч би й так! — нахабно відповів лис. Коко не знала, що й відповісти на це.

— Що тут коїться? — раптом почула вона чийсь голос. То був гарний півень з яскравим червоним гребенем і барвистим хвостом.

Побачивши півня, лис вирішив, що краще буде втекти, і швиденько шмигнув у кущі. А Коко так зніяковіла, що не могла нічого сказати.

— Привіт, красуне! — привітався півень. — Може, тобі потрібна моя допомога? Мене звати Герой! Я живу тут, у лісі.

Але Коко тільки ще більше зніяковіла й промимрила щось незрозуміле.

— Давай я тебе проведу додому! — запропонував півень, і вони разом вирушили на ферму.

Всі кури вибігли подивитись на друга Коко. А курка Паула, побачивши такого красеня, вигукнула:

— Який гарний у тебе наречений, Коко!

31

Коко і Герой одружились і почали жити разом. Жителі пташника подарували їм затишне гніздечко. Герой щоранку голосно кукурікав і будив увесь пташник. А господиня вже не забирала у Коко яйця, і курка сіла їх висиджувати. Одного дня Коко побачила, що яйця почали тріскатись! Вона дуже злякалась і мерщій побігла до своєї подруги Паули.

— Пауло! З моїми яйцями щось не так! Вони тріскаються, і звідти чути якийсь шум!

— Та ж то твої дітки! Просто їм час вилупитись із яєчок! — пояснила Паула.

І справді — коли Коко повернулась до свого гнізда, в ньому вже сиділо четверо жовтеньких курчат!

— Які гарненькі! — розчулилась Паула. — А як ти їх назвеш?

— До! Ре! Мі! Фа! Соль! Ля! Сі! — відповіла щаслива мама-курка.

Але найщасливішим почувався півень Герой, коли дивився на свою родину!

1 Лебідь Кліпо

Маленький лебідь Кліпо дуже любив пірнати. І хоча мама просила його бути обережним, він намагався пірнути якомога глибше.

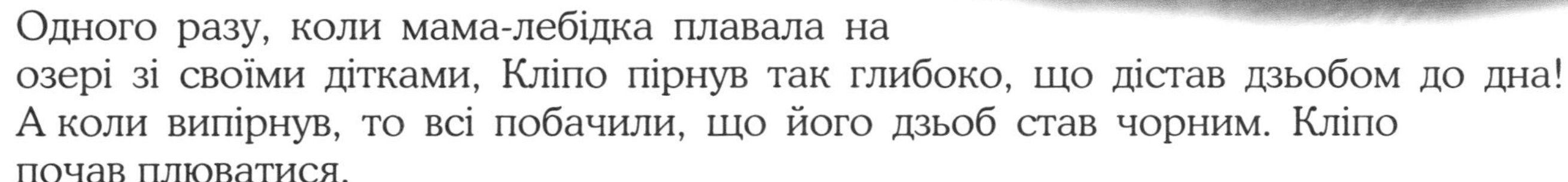

Одного разу, коли мама-лебідка плавала на озері зі своїми дітками, Кліпо пірнув так глибоко, що дістав дзьобом до дна! А коли випірнув, то всі побачили, що його дзьоб став чорним. Кліпо почав плюватися.
— Мамо, дивись — у Кліпо чорний дзьоб! — вигукнула його сестричка.
Мама-лебідка подивилась на сина і жахнулась:
— Кліпо! Що ти робив на дні озера? Що у тебе із дзьобом?
— Мабуть, я так глибоко пірнув, що зробив у дні дірку, — похвалився Кліпо.
Але в роті у нього з'явився якийсь неприємний присмак, і Кліпо постійно плювався. А з озера почало дивно пахнути! Тієї ночі лебеді ледве заснули...

2

Вранці дзьоб Кліпо вже не був таким чорним, однак мама-лебідка все ж відвела сина до лікаря, щоб той оглянув його. Подивившись на дзьоб лебедя, лікар вигукнув:
— Та це ж нафта!
— А що це таке? — запитала мама-лебідка, яка ще ніколи не чула такого слова.
— Нафта — це вельми цінна і дорога речовина! Люди дуже її цінують!
Лікар також пояснив лебедям, що нафта на дзьобі з часом змиється і неприємний запах зникне, тож Кліпо з мамою поспішили додому.
Кліпо стрибав від радощів — він знайшов у озері нафту! Його братики й сестрички теж дуже зраділи: це так цікаво, до того ж тепер вони будуть багаті!
Однак мама-лебідка засмутилась:
— Але ж нам тепер не можна жити на цьому озері — сказала вона. — Це може бути небезпечно для лебедів! Доведеться шукати нове житло...

3

Наступного дня мама-лебідка вирушила на пошуки іншого озера.
— Залишайтесь тут і чекайте, я скоро повернусь, — наказала вона дітям.
Маленькі лебеді зібралися на березі озера й почали терпляче чекати...
Раптом вони почули, як неподалік гудуть машини...
— Цікаво, що там відбувається? — запитав Кліпо. — Ходімо подивимось!
— Мама веліла чекати її тут, — зауважила його сестричка.
— Я все одно туди піду! — вигукнув Кліпо. — Мені цікаво!
І маленькі лебеді вирушили через зарості очерету туди, звідки доносилось гудіння.
Вони побачили озеро, повне чистісінької води! А їхня мама командувала машинами, які облаштовували берег. Маленькі лебеді підбігли до неї.
— Ну що ж, дітки, — сказала мама-лебідка, — дякуючи Кліпо ми стали багатими! Це озеро з чудовим лататтям та очеретом тепер наше!
— Ура, мамо! Ура, Кліпо! — закричали лебеді й чимдуж побігли купатись.

4 Бегемотиха Попо

Зазвичай усі бегемоти вночі виходили на берег, щоб повечеряти.
Але бегемотиха Попо воліла краще поспати. Її друг бегемот Гіпо ніколи не міг її розбудити.
— Попо, прокинься! Ходімо вечеряти, бо тобі нічого не залишиться.
Але Попо тільки солодко позіхала і навіть не збиралася вставати...

— Ну її, ту вечерю, — краще поспати.
— Що ж робити? — задумався Гіпо. — Попо щоразу лягає спати голодною... О! В мене є чудова ідея!
Він знову підійшов до Попо:
— Знаєш що, Попо! Я сьогодні бачив Хіпо!
Попо уві сні нашорошила вушка, адже бегемотик Хіпо їй дуже подобався...
— Ми з ним говорили про тебе!
Попо розплющила очі...
— Він сказав, що ти дуже схудла, й питав, чи ти не захворіла бува, бо ж раніше була така гарненька!
Попо аж підстрибнула. Вона зрозуміла, що для того, щоб сподобатися Хіпо, треба їсти якомога більше й стати товстенькою! Тому швиденько побігла вечеряти разом із Гіпо.

5 Пугач вчиться літати

Маленькому пугачу Рабі не хочеться весь час сидіти в дуплі.

— Я хочу гратися з іншими пугачами! — зітхав він.

— Будеш гратися, коли навчишся літати, — відповідала мама.

— А коли я навчуся літати? — допитувався Рабі.

Мама не встигла йому відповісти, бо з полювання повернувся тато.

— Тату, а коли ти візьмеш мене на полювання? — запитав Рабі.

— Коли навчишся літати, — відповів тато.

— Але коли? — розплакався Рабі. — Коли?!

І раптом він поточився і випав із дупла. Рабі каменем полетів униз і приземлився просто у стіг сіна. Він не забився, але дуже злякався! Тієї ж миті до нього спустився тато. Побачивши, що з сином нічого поганого не сталось, він заспокоївся і сказав:

— Якби ти розпрямив свої крила, то не впав би, а полетів. І міг би приземлитися.

— Я зрозумів, татку! — вигукнув Рабі. Він стрепехнув крильцями — і полетів! Майже як дорослі!

6 Хитра мушля

Молюски, що жили в морі, дуже любили ласувати сіллю. Люди знали про це, тому розсипали сіль на березі, щоб наловити якомога більше мушель. Молюски побачивши сіль, вмить виповзали зі своїх схованок — і потрапляли просто в руки людей. Зрештою майже всі мушлі стали їх здобиччю! Але мушля Скот був хитрий. Він не їв солі, а тихенько сидів у своїй нірці в піску й нікуди не виходив, тому небезпека його оминула.

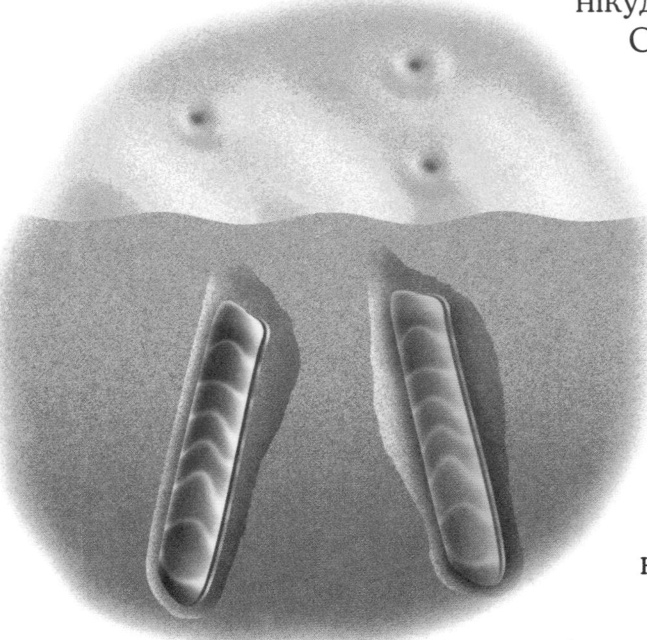

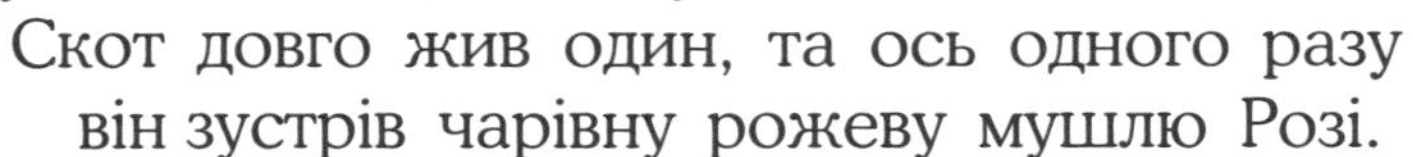

Скот довго жив один, та ось одного разу він зустрів чарівну рожеву мушлю Розі.

— Чому ти один? Хіба тут не живуть інші мушлі? — запитала Розі.

І Скот розповів своїй новій знайомій про те, що сталось.

— Якби вони не були такі ненажерливі й такі довірливі, ніхто б їх не спіймав, — закінчив розповідь Скот.

Тоді Розі пообіцяла, що ніколи не буде виходити на поверхню й не ласуватиме сіллю!

З того часу Скот і Розі жили разом, і люди не змогли їх спіймати!

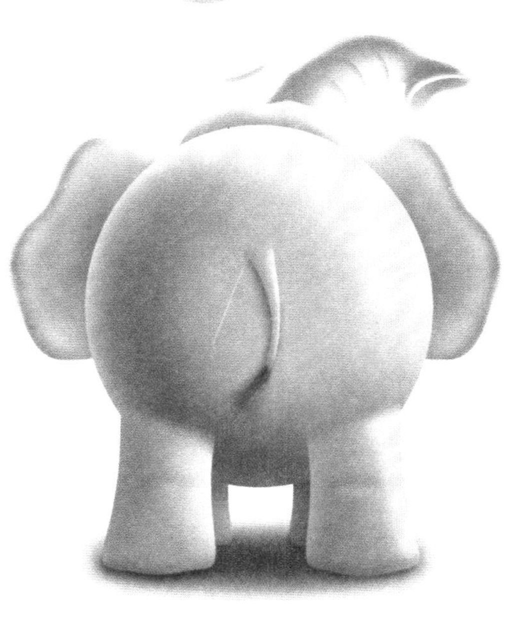

7 До роботи, Кіме!

Влітку слоненя Кім вирішило заробити трохи грошенят.
Кім запропонував свої послуги жирафі Софі.
— Добре, Кіме! То що ти вмієш? Можеш попрацювати пилососом і прибрати мою домівку? — запитала вона.
Кім заввиграшки впорався із такою роботою, працюючи хоботом.
— Ось, тримай! — Софі дала йому монетку. — Дякую!
Потім Кім вирушив до бегемота Гіпо.
— Ти можеш помити мені підлогу? — запитав Гіпо. — Вона така брудна!
— Звісно! — відповів Кім.
Він набрав у хобот води і за кілька хвилин вимив усю підлогу!
— Дякую, Кіме! Ось, візьми, — сказав Гіпо і теж простягнув слоненяті монетку.
По дорозі додому Кім зустрів свою бабусю.
— Кіме, мені так душно! Чи не можеш ти помахати на мене вухами?
— Гаразд, бабусю, але це буде коштувати грошей!
— А для чого ж тобі гроші? — поцікавилась бабуся.
— Я відкрию товариство слонів! — відповів Кім.
— Чудова ідея! — вигукнула бабуся. — Тримай монетку!

8 Медуза Анні

Медуза Анні та її сестрички погойдувались біля підводного каменя й тихо гомоніли.
— Як тут гарно! Мабуть, морське дно — найкраще місце на світі! — сказала одна медуза.
— А я б хотіла поплавати, як риби, і піднятися на поверхню, — замріяно сказала Анні.
У цей час поруч пропливала велика риба. Вона почула розмову медуз і запропонувала Анні:
— Я можу віднести тебе на поверхню океану.
— Дякую! — вигукнула Анні. — Будь ласка, віднеси мене туди!
За кілька хвилин Анні вже плавала у хвилях. Вона милувалася хмарами і сонцем й почувалась зовсім щасливою.
— Як же чудово! — захоплювалась вона.
Та потроху сонце ховалось за темними хмарами. Анні ще не знала, що це небезпечно, й продовжувала насолоджуватись морськими краєвидами..

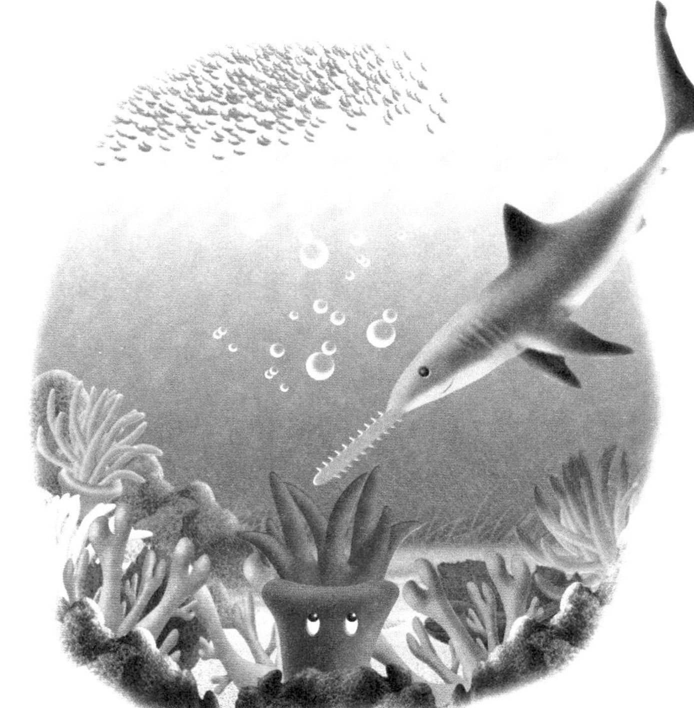

Хмар ставало дедалі більше, і раптом на медузу впали перші краплини дощу. Море захвилювалось — починалася справжня буря. Піднявся сильний вітер, і величезні хвилі підкидали Анні на своїх гребенях. Вона не вміла плавати, тож хвилі несли медузу проти її волі!

— Я мала б прислухатись до сестри, — заплакала Анні. — Тут так страшно! А на глибині спокійно й гарно.

Раптом хтось схопив її і потягнув під воду. Це була велика риба — та сама, яка принесла Анні на поверхню.

— Ми так хвилювались! Адже хвилі могли б викинути тебе на берег і ти могла загинути! — сказали сестрички-медузи. — Тому попросили рибу знайти тебе.

— Як добре бути вдома! — з полегшенням зітхнула Анні. — Там була така жахлива буря! Ні, нехай на поверхню піднімаються риби — у них плавники і хвости... А ми, медузи, повинні жити на глибині. Більше я ніколи не попливу на поверхню...

10 Ласка Бела

Ласка Бела ловила найбільше мишей. Усі миші в лісі боялися її! І ось одного разу вони зібралися разом і сховалися подалі від ласки. Тепер Бела не мала що їсти!

— Що мені робити? В мене аж живіт болить від голоду! — пожалілася вона лікарці Білці.

— Ти маєш їсти два лісових горіхи вранці, а вдень — ожину, — порадила Белі Білка.

Почувши про таку дієту, Бела засмутилась. Але живіт так болів, що вона все ж вирушила на пошуки необхідних продуктів.

Спочатку Бела скуштувала горіхи.

— Гм! Не такі вони й погані! — зауважила вона. — І, мабуть, дуже корисні!

Потім Бела зірвала кілька ягідок з куща ожини.

— А ожина ще смачніша! — здивувалась вона. — Значно смачніша, ніж миші!

В цей час неподалік причаїлась мишка і спостерігала за ласкою.

— Пані Бело! Я можу показати вам чудові зарості ожини! — запропонувала вона.

Бела подякувала мишці й вирушила за ожиною. Відтоді вона ніколи не їла мишей!

11 Цвіркун-співак

Цикада Сіка вирішила створити хор цикад.
Усі бажаючі зібралися увечері на луці, і почалася репетиція. І раптом Сіка почула, що хтось фальшивить!
— Любі цикади, — сказала вона, — я хочу послухати кожну з вас окремо! Будь ласка, заспівайте всі по черзі!
Сіка послухала всіх цикад — вони співали правильно. Але хто ж тоді так фальшивив?
— Чи всі вже співали? — звернулась вона до хору.
— Ні, ще я не співав, — пролунав чийсь несміливий голосок. То був цвіркун!
— А ти тут робиш? — здивувалась Сіка.
— Не проганяй мене, — попросив цвіркун. — Я так люблю музику! Я теж хочу співати у вашому хорі...
Сіка трохи подумала і вирішила:
— Гаразд! Співатимеш із нами! Але не намагайся співати, як цикада, — у тебе це не виходить! Співай своїм голосом!
Цвіркун був на сьомому небі від щастя! З того часу він завжди виступав разом з цикадами.

12 Лінивий лев

У левів здавна так заведено, що левиці піклуються про своїх малят і шукають їжу. А лев тим часом охороняє свою родину від непроханих гостей.
Однак лев Артур нічого не хотів робити! Він тільки лежав на травичці й замріяно дивився у небо. Він був дуже лінивий, крім того, був певен, що жодна небезпека лев'ячим родинам не загрожує. То чого ж даремно метушитись?
— Що ж це робиться? — обурювалась левиця Лія. — Погляньте на нього! Весь час лежить і нічого не хоче робити!
— Хочу лежати — то й лежу! — огризнувся лев. — Ніякі хижаки тут не ходять. Вони знають, що як тільки захочуть напасти, їм від мене добряче перепаде.
— Але ж твої м'язи стали зовсім слабкі! — спробували переконати Артура левиці.
— Ти зовсім не тренуєшся! Поглянь, на кого ти схожий, — он пузце яке наїв!
— А мені все одно! — буркнув лев, перекинувшись на другий бік. — І не турбуйте мене більше!

13

Левиці розсердились і вирішили гарненько провчити Артура. Вони придумали, що треба зробити, і попросили мавпу допомогти їм. Мавпа погодилась, бо вона теж вважала Артура лінюхом і хвальком.
Трохи згодом вона підійшла до лева і схвильовано прошепотіла:
— По дорозі сюди я зустріла величезного лева. Він сказав, що йде до тебе, щоб помірятись силами. Ой, він такий страшний і здоровенний!
Лев дуже злякався. Що ж йому робити?
— Я спробую його затримати, — сказала мавпа.
— Однак якщо він вирішив сюди прийти, то прийде — рано чи пізно.
— Отож починай займатися спортом! — додали левиці.
І Артур почав тренуватись. Через три тижні він став сильним і спритним! А потім почав тренувати маленьких левенят. І хоча чужий лев так і не з'явився, Артур продовжував заняття з левенятами. Тепер усі левиці хвалили його:
— Який ти молодець! Тепер ти справжній король звірів!

14 Вечірка піраньї

Піранья Піррі перебралася в нове житло. Вона вирішила влаштувати вечірку, щоб познайомитись зі своїми сусідами.
Але всі знають, що піраньї — хижі риби! Вони полюють на інших рибок. Тому риби, медузи, морські коники та інші морські жителі дуже хвилювалися. Та омар Ом пояснив їм:
— Серед піраній трапляються вегетаріанці, які їдять тільки водорості! Тому не переймайтеся, може, наша сусідка теж не їсть рибок!
Морські жителі не дуже повірили в цю історію, але все ж трохи заспокоїлись. Може, Піррі й не їстиме своїх сусідів! А якщо не прийти, вона образиться...

А Піррі, побачивши, що до неї ніхто не йде, дуже засмутилась...
— Усі мене бояться. Але ж я не їм інших рибок, просто вони цього не знають! — журилась вона.
Раптом у двері хтось постукав.
— Привіт, Піррі! Приймай гостей!
Тепер у Піррі з'явилися нові друзі, й вона дуже цим пишається!

15 Жаба і пантера

Пантера Джейн — найвродливіша пантера савани. Вона постійно сидить на березі озера і дивиться на своє відображення у воді. Їй так подобається милуватися своїми білими зубками, чорним хутром і гладеньким носиком! Одного разу її побачила стара жаба.
— Джейн, годі милуватися собою! Навіть якщо найвродливіша тварина довго розглядатиме себе у воді, вона перетвориться на огидну жабу! Подивись на мене! Колись я була прекрасною тигрицею, але так любила собою милуватись, що перетворилась на жабу!
— Та замовкни! — вигукнула пантера. — Ти мене дратуєш! Іди геть!
Трохи згодом Джейн нахилилась, аби краще роздивитися себе у воді, та раптом не втрималась і шубовснула у воду. Озеро було глибоким, і пантера пішла просто на дно!
А через кілька днів на лататтi озера сиділи вже дві жаби і постійно сварилися...

16 Кульгавий Генрі

Багатоніжка Генрі ледь не плакав. Коли він бігав на луці, то підвернув ніжку. Звісно, він почав кульгати лише на одну ніжку, але від цього решта ніг заплутувались, і він зовсім не міг ходити!
Якось його прийшов провідати дощовий черв'як Вік.
— Не сумуй, друже, скоро ти одужаєш і знову будеш бігати! — спробував він підтримати Генрі.
— Коли це ще буде! — зітхав Генрі. — А зараз я кульгавий, і мені так важко ходити!
— Подивись на мене! — звелів Вік. — Поглянь, мені зовсім не потрібні ніжки, щоб рухатись. Я просто повзаю на животику. Спробуй і ти так!
— Але наді мною всі сміятимуться, — засумнівався Генрі.
— Та ні! Я тебе навчу гарно повзати! — пообіцяв Вік.
Багатоніжка дійсно навчився дуже гарно повзати, а невдовзі його лапка загоїлась і він знову бігав усіма своїми ніжками.
Але й після цього іноді Генрі повзав на животику разом із черв'яком Віком — це так весело!

17 Руфус-художниця

Руфус була гарненькою рудою мишкою. А ще вона була неймовірно доброю й лагідною. Дивно, що з такою доброю красунькою не дружили звірі. Вони не розуміли її захоплення: Руфус кохалася в малярстві! Такого ще в лісі не бачили! Руфус здавалася звірям дивачкою. Єдиним другом і прихильником Руфус був кіт Лорд.
— Ці звірі просто нічого не тямлять! — гарячкував він.
І Лорд вирішив влаштувати виставку картин своєї подруги. При вході в галерею він написав, що це роботи відомого художника. Всі звірі лісу прийшли подивитися на картини.
— Чудово! Дуже гарно! Який талант! — захоплювались вони.
Тоді Лорд вивів до них Руфус.
— А ось і художниця, яка намалювала всі ці картини!
Звірята дуже здивувалися. Деякий час було тихо, а потім усі стали плескати в долоні, бо ж картини справді усім припали до душі. Відтоді Руфус стала відомою мисткинею.

18 Велетенська бабка

Бабка Лілі знайшла ставок, де вона ще не бувала. Лілі радісно літала серед квітучого латаття та очерету. Але дрібні мушки почали сміятися над нею:

— Погляньте, яка вона мала й незграбна! — говорили вони. — Ану, геть від нашого ставка!

Лілі образилась на мушок і вирішила провчити їх! Вона полетіла до своїх подруг-бабок і розповіла їм про те, як її скривдили. А потім попросила подруг допомогти їй.

Бабки погодились і почали шикуватись, як показала Лілі. Разом вони утворили величезний трикутник і так полетіли до ставка.

— Ой, яке чудовисько! — перелякалися мушки. — Яка величезна бабка! Тікаймо!

— Боягузи! Боягузи! — засміялися їм услід бабки.

Тепер мушки ніколи не насміхалися над Лілі й не проганяли її від ставка.

19 Мано-танцівниця

Скат Мано була найкращою танцівницею в морі. Коли вона танцювала, усі риби, медузи й морські коники збиралися, щоб подивитися на її чудовий танок.

— Як гарно! Як досконало! — захоплювалися глядачі.

Мано була справжньою зіркою!

Одного разу всі морські жителі зібралися на дні, щоб помилуватися танком Мано. Вони розсілися по місцях і приготувалися дивитися виступ.

Мано почала танцювати. І раптом пролунав зляканий крик:

— Обережно! Акула!

Тієї ж миті усі глядачі кинулись хто куди й поховались у шпаринах та водоростях.

Але Мано продовжувала танцювати. Вона так захопилась танцем, що нічого не чула й не помічала...

Танцівниця побачила акулу лише тоді, коли та кинулась просто до неї!

Мано щосили махнула хвостом, і в воді піднялась хмара піску! Акула почала кліпати очима, намагаючись побачити свою здобич, а Мано тим часом встигла сховатися.

Довелося акулі забиратися геть!

20 Мавпочка Чупі

Мавпочка Чупі жила в зоопарку. Їй це дуже не подобалось, адже доводилось сидіти у клітці, а діти в цей час дивилися на неї. Вони зачіпали її, просували руки крізь ґратки, дражнили й сміялися, коли вона сердилась. Мавпочку це дуже дратувало, й вона думала, як би провчити набридливих дітей... І зрештою придумала! Більше вони ніколи не будуть їй докучати!

Наступного дня, коли діти прийшли подивитися на Чупі, мавпочка підбігла до ґраток і швиденько познімала з усіх діток їхні шапочки! Вона покидала їх на купу в кутку своєї клітки, а сама всілася зверху.

Тепер дітям було не до сміху... Вдома їм довелося признатись, що вони зачіпали мавпочку, а вона відплатила за це... Ох і перепало всім!

Після цього діти більше не дражнили Чупі, а навпаки — приносили їй ласощі. А Чупі більше на них не сердилась!

21 Розумна Мірет

Креветку Мірет не так легко спіймати — в неї дуже чутливі вусики, й вона завжди відчуває наближення небезпеки! Більш того, Мірет завжди намагається попередити про неї інших креветок.

— Обережно! — якось гукнула вона подружкам. — Поблизу небезпека!

Але креветки не бачили нічого небезпечного й подумали, що Мірет просто щось здалося. Коли ж вони самі зрозуміли, що треба швидше тікати, було надто пізно. Кілька креветок вже потрапили в пастку — їх упіймали сачком!

— Допоможіть! — благали вони. — Інакше нас зварять! Рятуйте!

Мірет прожогом кинулась до свого друга — краба.

— Ходімо зі мною! Треба врятувати моїх подруг! — крикнула Мірет.

Краб обережно наблизився до скачка і розрізав клешнями його петлі. Креветки тієї ж миті вискочили з нього!

— Дякуємо, пане крабе, — сказали вони, коли відпливли на безпечну відстань. — Дякуємо, Мірет! Тепер ми завжди будемо тебе слухатись!

22 Цікаві історії

Щовечора всі тигри збираються під розлогим деревом і слухають різні цікаві історії, які розповідає їм старенький мудрий тигр.

Одного разу, коли всі слухачі вляглись біля дерева, старий тигр почав розповідати їм історії про тигрів і пантер, які колись були гарними друзями.

— Одного разу лихі пантери викрали маленьке тигреня і втекли, — продовжував він розповідь. — Ми довго гналися за ними, але марно. Тигреня зникло, його не вдалося знайти...

Раптом з дерева почулося схлипування. Тигри підвели голови і побачили на гілці пантеру.

— Я давно тут лежу і все чула, — сказала пантера. — Не треба думати, що всі пантери лихі! Давайте забудемо про колишню ворожнечу і знову станемо друзями!

Старий мудрий тигр трохи подумав і ствердно хитнув головою.

— Думаю, ми можемо їй довіряти.

З того часу під старезним деревом збираються разом тигри і пантери й по черзі розповідають різні цікаві історії!

23 Метелики на весіллі

Щоліта усі метелики збираються разом і летять у таке місце, де найбільше квітів. Цього року вони зустрілись на полі з величезними соняшниками.

— А давайте полетимо до села! Там такі яскраві квіти в садках і на подвір'ях, — запропонував метелик Антоні.

Метелики погодились і дружно полетіли в напрямку села.

По дорозі вони зустріли переляканого метелика, який летів їм назустріч.

— Не летіть туди! — закричав він. — Там відбувається щось дивне! Щось гримить і грюкає — це, мабуть, грім!

Але Антоні та його друзям стало цікаво, що ж насправді відбувається в селі, й вони полетіли далі.

— Та який же це грім? — засміявся Антоні, коли вони прилетіли до села. — Це музики! А стукає барабан! Це весілля!

Метелики зраділи:

— Як добре! Ото потанцюємо! На весіллі завжди стільки барвистих запашних квітів, а у нареченої найкращий букет!

24 Рибний ресторан

Акула Жеже відкрила чудовий ресторанчик! Усі рибки знали, що там дуже смачно готують, тому замовляли столики наперед!
Жеже була б рада, якби і її друзі-акули приходили попоїсти у ресторані, але ті тільки дратувалися.
— Навіщо ти відкрила ресторан для риб? — якось запитала одна акула.
— Це ж смішно! — додала її сестра. — Адже ми, акули, харчуємось рибою! А в тебе там тільки водорості та різні рослини.

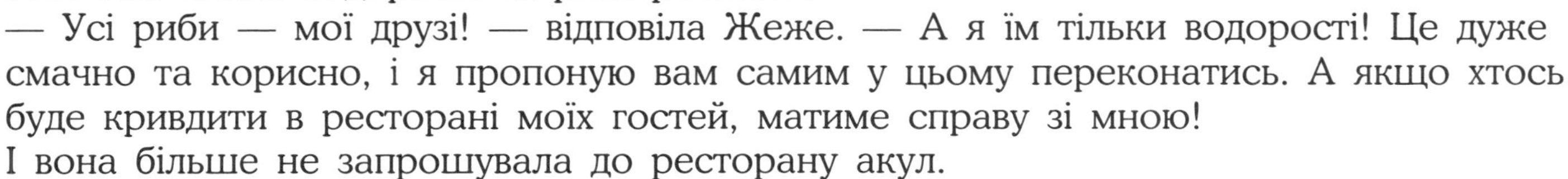

— Усі риби — мої друзі! — відповіла Жеже. — А я їм тільки водорості! Це дуже смачно та корисно, і я пропоную вам самим у цьому переконатись. А якщо хтось буде кривдити в ресторані моїх гостей, матиме справу зі мною!
І вона більше не запрошувала до ресторану акул.
— Що вона собі думає? — розгнівались акули. — Сьогодні ж увечері підемо до того ресторану та провчимо їх усіх!

25

Але Жеже зовсім не боялася злих акул! Вона знала, що зможе захистити своїх друзів-риб.
Увечері вона, як завжди, приймала у ресторані відвідувачів.
— Проходьте до столика номер вісім, — сказала Жеже двом тунцям.
— А ваш столик — п'ятнадцятий! — нагадала форелям.

Потім Жеже взяла мікрофон і оголосила:
— Перш ніж ласувати смачними стравами, випийте по ложечці ліків проти акул!
— Дякуємо, що нагадала, Жеже! — пролунало від усіх столиків.
Риби почали вечеряти, аж раптом двері ресторану розбилися вщент і всередину увірвалися злі акули! Вони хотіли напасти на риб, але раптом відчули запах ліків проти акул. Вони не могли його витримати, тому повернулись і попливли геть.
— Молодець, Жеже! — похвалили хазяйку ресторану риби. — Твої ліки відігнали акул!
— Рецепт цих ліків мені залишив дідусь, — сказала задоволена Жеже. — Він також дружив із рибами. Тому не бійтесь, тут ви завжди будете у безпеці!

26 Нініш

Нініш — найкращий і найкмітливіший пес на весь квартал.

— Він такий молодець! Такий розумник! Стільки всього вміє робити! — постійно хвалить його господар.

Щоранку Нініш чекає на листоношу. Коли пролунає дзвінок, він зривається зі своєї подушки, біжить надвір, хапає газету в зуби і приносить хазяїну! Жодного разу він її не пом'яв і не порвав. А коли хазяїн починає її читати, Нініш влягається біля його ніг.

Але одного разу листоноша приніс не газету, а величенький пакунок. Песик ніяк не міг його ухопити — надто важкий!

— Ну ж бо, Нінішу! Спробуй іще! — казав йому господар.

Собачка заходився коло пакунка. Побачивши, що не зможе донести його, він почав гризти пакет. І тут відчув смачний аромат! Нініш швиденько розгриз папір і дістав звідти соковиту кісточку!

— З днем народження, Нінішу! — погладив його господар. — Ти хороший песик, тому заслужив на подарунок.

27 Рибка Жоро-мандрівник

Одного разу Жоро звернув увагу, що його господарі збираються кудись їхати. На підлозі стояло багато пакунків і валіз.

— Наші господарі вирушають у подорож! — сказав Жоро своїй сусідці — золотій рибці. — Я б так хотів поїхати з ними!

— Але як ти це зробиш? — запитала його рибка. — Вони ж, мабуть, не збираються брати нас із собою!

Та Жоро придумав, як можна поїхати разом із господарями! Він стрибнув у флягу з водою й причаївся там! Коли почали виносити речі, маленький хлопчик, син господаря, забрав фляжку з собою.

Дорога була довгою, і скоро малюк захотів пити.

— Мамо! Тату! — вигукнув він. — У моїй флязі наш Жоро! Я його мало не проковтнув!

Так Жоро почав подорожувати зі своїми господарями. У флязі було трохи тісно й незручно, але доводилось терпіти. Зате коли вони приїхали до будинку відпочинку, винагородою для Жоро став цілий басейн прозорої води!

28 Перстень для полоза

Лисенята люблять бавитися в піску. Щодня вони починають будувати замок, але сухий пісок розсипається, і їм ніколи не вдається добудувати його до кінця. А так хочеться, щоб це був справжній замок!
Одного разу, коли лисенята саме будували стіни, вони раптом почули, що хтось плаче. Неподалік вони побачили змію — полоза!
— Це ти плакав? — запитали лисенята.
— Так, це я... — признався полоз. — Та й як не плакати! Завтра в мене весілля, а я згубив десь тут у піску перстень нареченої! Навіть не знаю, що тепер робити!
— Не плач, може, ми тобі допоможемо! — вигукнули лисенята.
І вони почали шукати перстень. Лисенята перерили весь пісок, призначений для будівництва, й нарешті побачили, як щось зблиснуло!
— Мій перстень! — розчулено вигукнув полоз. — Дякую вам, друзі, ви мене просто врятували! Приходьте завтра до мене на весілля. А потім я допоможу вам побудувати чудовий замок!

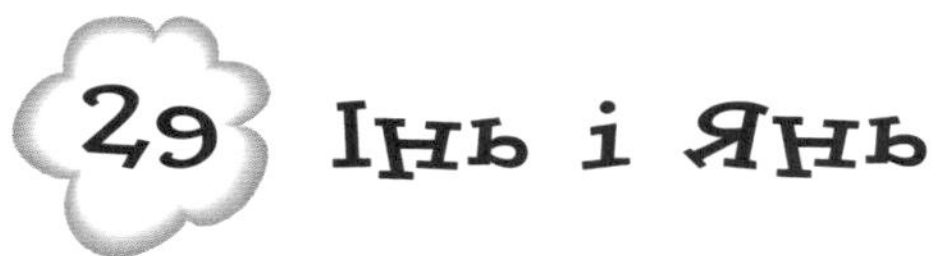

29 Інь і Янь

Інь і Янь — киці-близнючки. Вони дуже хочуть стати зірками реклами, щоб усі знайомі могли їх побачити по телевізору!
І от одного разу вони дізнались, що рекламна фірма запрошує котів і кішок для реклами котячого корму. Інь і Янь одразу причепурились і вирушили за вказаною адресою.
— Думаю, для реклами виберуть саме нас! — впевнено сказала Інь. — Поглянь, яка в нас гарна шерсть! Густа, блискуча!
— А вуса які! А хвости! — додала Янь, поблискуючи оченятами.

Та гарними виявились не лише вони. Усі коти були пухнастими, розумними й намагалися показати себе з найкращого боку. Суддям було дуже складно зробити вибір! Зрештою вони оголосили, що корм буде рекламувати Інь!
— Ура! Я перемогла! — застрибала щаслива Інь. — Я зніматимусь в рекламі! Мене покажуть по телевізору!
Янь була рада, що її сестра виграла, але все-таки трохи засмутилась...

30

Перш ніж рекламувати корм, Інь вирішила скуштувати його, щоб знати, що саме вона рекламує.

— Його тут багато, — сказала вона, засунувши мордочку в пакунок. — Я з'їм кілька шматочків, тільки скуштую! Та й смачно ж цей корм пахне!

Але Інь надто захопилась... Вона й незчулась, як з'їла весь корм із пакунка, потім ще з одного... Так Інь відкрила всі пакунки і спорожнила їх! І коли режисер підійшов до неї, то аж злякався — киця була схожа на кулю й ледве стояла на лапах!

— Мене нудить, — застогнала Інь. — Я хотіла покуштувати кілька шматочків, але так вийшло, що з'їла увесь корм... Але він був такий смачний!

— Ця актриса нам більше не підходить, — сказав режисер. — Запросіть її сестру-близнючку і принесіть нові пакунки з кормом! І хутчіш — у нас надто мало часу!

31

Янь трохи засмутилась, що сестра так негарно вчинила. Але ж тепер вона сама може стати зіркою екрану! Янь уважно вислухала режисера, вивчила текст, який їй дали, і приготувалась до зйомок.

Але їй не сказали, що в кожному пакунку має бути ще й подарунок.

Тож коли Янь зазирнула в пакунок і побачила там мишку, то дуже розгубилась.

— Ой! А тут миша! — вигукнула вона і впустила пакунок. Довелося зупиняти зйомку.

— Це не справжня миша! Вона іграшкова! — пояснив режисер. — Пробач, ми тебе не попередили. Тепер доведеться починати все спочатку. І не звертай уваги на іграшку!

Цього разу Янь добре впоралась зі своєю роллю. Рекламний ролик вийшов просто чудовий!

А коли корм з'явився у магазинах, то зібрав цілі черги покупців. Ще б пак — він був справді смачний, а до того ж у кожному пакунку була іграшка — маленька механічна мишка! Хто ж відмовиться від такого подарунка!

Страус-боягуз

Страуси Зел і Вірджі жили у зоопарку в одній клітці. Зел був дуже сором'язливий і тому часто ховав голову в пісок. А Вірджі, навпаки, вдавав із себе хороброго птаха і завжди пихато поглядав на Зела.

— Який він сильний та сміливий, — захоплювався сусідом Зел. — Я б теж хотів таким бути!

Одного дня до зоопарку прийшло багато людей — якраз був вихідний. Зел дуже любив, коли до зоопарку приходили відвідувачі, особливо діти. Він постійно намагався їх розсмішити, і їм це дуже подобалось. А Вірджі ніколи навіть не підходив до дітей!

Страуси походжали кліткою, аж раптом один хлопчик щось голосно крикнув. Вірджі так злякався, що тієї ж миті сховав голову в пісок! Діти розсміялися, і Зел разом з ними!

— Отакий він хоробрий! А ще вдавав із себе великого пана! — подумав Зел. — Та він просто боягуз!

З того часу Зел більше не захоплювався Вірджі, бо знав, що той насправді усього боїться!

Хто найшвидший?

Одного разу бульдог сказав мисливському собаці:

— Кажуть, що ти дуже швидко бігаєш! Але мені здається, що я бігаю набагато швидше за тебе!

— Та ні, я бігаю швидше, — заперечив мисливський собака. — Але якщо ти хочеш, можемо влаштувати змагання.

Перед початком змагання бульдог не втримався і гарно поїв. А мисливський собака їв мало, щоб було легше бігти. Натомість він гарно потренувався!

Всім звірям було цікаво, чи зможе бульдог обігнати мисливського собаку, тож глядачі почали збиратися задовго до початку змагань. Вони вишикувались вздовж бігової доріжки.

Нарешті скунс оголосив про початок змагань, свиснув — і обидва собаки помчали!

Мисливський собака легко обігнав бульдога — адже той ледве дихав через своє набите черево! І от мисливський пес перетнув фінішну лінію! А знесилений бульдог упав на землю — навіть до фінішу не добіг!

— Отакої! Не треба було вихвалятися! — сміялися з бульдога глядачі.

3 Продавець парфумів

Скунс П'єр відкрив магазин парфумів. Але ж усі знали, що скунси погано пахнуть, тому в нього ніхто нічого не купував. Звірята заходили до магазину лише для того, щоб пожартувати та подивитися на дивного скунса, а парфуми так і стояли на поличках.

— Ти б краще собі парфуми купив! — казали вони скунсові.

Але П'єр не засмучувався. Він придумав, що робити. Скунс написав оголошення, що закриває магазин. А вночі узяв чорну фарбу й замалював свої білі смужки! Тепер він став схожий на єнота!

Наступного дня єнот-скунс відкрив магазин парфумів. І одразу ж усі звірята кинулися їх купувати!

Парфуми користувались великим попитом, тож скунс заробив багато грошей, а на них закупив нові парфуми... І от якось він вирішив розказати звірятам правду. Та коли всі дізнались, що насправді це не єнот, а скунс, то все одно продовжували купувати парфуми, бо вже звикли ходити до цього магазину!

4 Качка і жаби

Качка Ду дуже любила свій ставок. Там було так тихо і гарно! Дощ, який пройшов уночі, наповнив ставок свіжою водою, і Ду з задоволенням плавала поміж латаття й очерету, визбируючи ряску. Але цей спокій незабаром скінчився — наступного дня на ставок прилетіло двадцять качок! Ду спершу зраділа, що матиме сусідок, але потім засмутилась. Ці качки були такі галасливі й дуже невиховані! До того ж вони вирішили оселитись тут назавжди.

— Нам тут подобається, — говорили нахабні качки. — Тепер ми будемо тут жити!

Але Ду вирішила, що потрібно їх позбутися! Вона попросила жаб допомогти їй.

— Ви маєте зробити так, щоб ці качки полетіли геть, — сказала вона, — інакше вони з'їдять ваших малюків пуголовків.

Жаби злякалися і запевнили Ду, що зроблять усе можливе.

Цілісіньку ніч усі жаби квакали, не вгаваючи! Качкам зовсім не вдалося поспати. Зранку, вони, роздратовані, полетіли геть — шукати тихішу місцинку. Ду була дуже щаслива — тепер цей тихий ставок знову належав тільки їй!

5 Коник іде на свято

Равлик Джеймс запросив коника Села на день народження. Коник довго вибирав подарунок, вбрався в найкращий одяг і вирушив до равлика. Щоб було швидше, він вирішив піти коротким шляхом. Але коник забув, що ця дорога проходить через болото!

Коли Сел нарешті прийшов на день народження Джеймса, гості-коники жахнулись:

— Який ти брудний! Де ти був? — питали вони. — Хіба ж можна в такому вигляді приходити на день народження?

— Я не винен! То все болото! — ледь не плакав коник.

— А мені здається, нічого страшного не сталось, — заступився за Села равлик-іменинник. — Я теж брудний, — і нічого! І всі равлики брудні. Ми ж не літаємо, а повзаємо по землі... А оскільки в мене сьогодні день народження, то ви маєте виконати моє бажання. Давайте всі викачаємось у болоті!

І всі гості з радістю вимазались багнюкою і влаштували неймовірно веселу вечірку.

— Ура равлику! — гукали вони.

Рибки захворіли!

— Апчхи! — чхнула форель Анні.

— Будь здорова! — озвалась щука Рені, а потім додала: — Нещодавно я зустріла окуня Додо — він також захворів і постійно чхає! У нього навіть температура піднялась!

— І я зовсім хвора, — поскаржилась Анні. — У мене жахливий нежить!

Щука Рені вирішила розважити своїх хворих друзів. Вона щодня приходила до них і розповідала різні цікаві історії про те, що відбувалося в річці та на березі. Друзі дуже раділи, коли вона приходила, — здавалось, навіть хвороба відступала. Вони аж веселішали, коли бачили щуку!

Та коли Анні й Додо майже одужали, Рені відчула, що в неї самої починається нежить!

— Апчхи! Щось мені недобре, — пожалілась вона.

Тепер вже Анні та Додо мали її розважати. І вони відвідували хвору Рені, аж поки та не одужала.

Корова-співачка

— Невже вона не розуміє, що смішна? Подумати тільки — співачка! — так говорили про корову Клару в корівнику. Корови просто заздрили Кларі, бо самі не вміти співати!
Але Клара на те не зважала. Понад усе вона любила співати, тож ніякі злі язики не могли змусити її відмовитись від цього!
Однак вона не сперечалася з коровами і надвечір ішла співати до річки. Вона так чудово співала, що пташки, жабки та інші дрібні звірята завжди збиралися її послухати. Та коли Клара поверталась до корівника, їй ставало сумно. Інші корови не хотіли з нею дружити, бо ж вона була не такою, як усі.
Клара спробувала заспівати коровам на ніч колискових пісень, але ті гримнули на неї:
— Тихо! Ти не даєш нам заснути!
Після цього вона зовсім перестала співати в корівнику...
Одного дня в корівнику поширилась новина: до них мав прибути бик Гаспар! Про цього красеня-бика мріяли всі корівки!

Гаспар

Вранці, коли прокукурікав півник, усі корови вийшли надвір — і кого ж вони там побачили? На подвір'ї гордовито походжав бик Гаспар! Корівки чемно привіталися з ним і сказали:
— Ми такі раді, що ти приїхав.

Цілий день вони перешіптувались і потай милувалися красенем. Кожна корівка хотіла йому сподобатись. Лише Клара подумала: «Який він пихатий!». Тихенько наспівуючи, вона пішла на берег річки. Побачивши корівку, всі друзі-звірята обступили її й попросили заспівати для них. Клару не треба було довго вмовляти, і вона почала співати свої пісні, одна краща за іншу.
Всі так захопились концертом Клари, що й не помітили, як на березі з'явився Гаспар. А бик підійшов ближче і теж почав слухати...

9 Дует

Наступного дня Гаспар знову прийшов на берег послухати Клару. А коли гуляв на подвір'ї, то починав наспівувати: «Тра-ля-ля-ля!». Він уже не був таким пихатим і почав розмовляти з корівками. Та найбільше йому подобалась Клара.
Корови тільки підозріло поглядали на неї.
— Ви помітили, як змінився Гаспар? — запитували вони одна у одної. — Мабуть, це все Клара! Вона привабила його своїм співом. Яке нахабство!
Але ні Клара, ні Гаспар не зважали на ці розмови. Вони щовечора ходили до річки. Спочатку Гаспар слухав, як співає його подруга, потім і сам спробував заспівати. Згодом вони влаштували концерт, на якому співали дуетом!
Невдовзі Клара і Гаспар одружилися і жили щасливо!

10 Цирк

У савані з'явився справжній цирк! Усі звірята ходили милуватися жовто-червоними наметами артистів. Вони вже знали, що в цирку виступають жирафа-гімнаст Кісі, ведмідь-чарівник Лео і клоун-шимпанзе Зузу. Всі з нетерпінням чекали вистави.
Слоник Елі теж хотів працювати в цирку! Він мріяв стати канатоходцем!
Але коли слоник розповів про свою мрію друзям, вони підняли його на кпини!
— Хіба ж слони можуть ходити по канату? Вони ж великі й незграбні! Ти поглянь на себе! — сміялися вони.
Але Елі не відмовлявся від своєї мрії і наполегливо тренувався.
І от настав вечір, коли мала відбутись циркова вистава. Директор цирку оголосив:
— Увага! Зустрічайте слона Елі — першого слона, що вміє ходити по канату!
І перед глядачами з'явився Елі! Він гордовито пройшов по канату, піднявши хобот угору!
Зал просто вибухнув оплесками! З того часу Елі виступав у цирку. Він став першим у світі слоном-канатоходцем!

Лелека Симон

Лелека Симон ще тільки починає працювати лелекою, тобто приносити татам і мамам маленьких діточок! І йому дуже важко!
Одного разу він отримав кошик, який треба було віднести чоловікові та жінці. Симон ледве підняв його — такий він був важкий! Адже діток було двоє!
Він ледь злетів у повітря. Та по дорозі згадав, що забув узяти адресу, за якою треба віднести дітей! Доведеться повертатись.
Раптом Симон побачив свого друга Годо.
— Годо, ти не міг би мені допомогти? Треба дізнатися адресу, за якою я маю віднести цих діток, — попросив Симон.
— Гаразд! — відповів Годо.
Годо дізнався адресу, наздогнав Симона і сказав йому, куди треба летіти.
— Дякую тобі, Годо! — сказав Симон.
Симон відніс діток за адресою, а потім запросив Годо на вечірку.
— Я такий вдячний тобі, — мовив він. — Я міг би втратити роботу!
— Завжди радий допомогти! — посміхнувся Годо.

Свинка Розі

На одній фермі жила гарненька свинка Розі. Її так звали, бо вона була рожевого кольору. А решта свиней на фермі були чорними, тому вони недолюблювали Розі. Через це Розі було дуже сумно.
Якось Розі дізналась, що на світі є країна рожевих свиней. Вона одразу вирушила в дорогу. Розі довго йшла, і коли нарешті прибула до цієї країни, то дуже стомилась та зголодніла. Вона зайшла у перший будиночок і попросила щось поїсти.

— Поїсти?! Та я маю годувати своїх діток! — обурилась велика рожева свинка. — Шукай собі вечерю деінде!
На вулиці Розі зустріла рожевого кабанчика, який запитав у свинки, хто вона така і що тут шукає.
— Я прийшла здалеку і дуже хочу їсти! — відповіла Розі.
Тоді кабанчик запросив її до себе додому і пригостив різними наїдками.
— Я так хочу побачити вашу країну чорних свиней! — сказав кабанчик, коли Розі поїла.
— Тоді ходімо зі мною! — запропонувала свинка.

Наступного дня Розі й рожевий кабанчик вирушили до країни чорних свиней.
Коли вони прийшли на ферму, де жила Розі, всі свині дуже здивувались — вони думали, що тільки Розі має шкіру рожевого кольору! Тепер чорні свині перестали її сторонитися.
Розі розповіла про свої пригоди, а також про непривітну рожеву свиню.
Виявляється, колір тут ні до чого!
Родина Розі радо прийняла мандрівників і смачно їх нагодувала.
А чорна свинка Клара закохалася в рожевого кабанчика! Йому теж сподобалась гарненька чорна свинка, тож невдовзі він запропонував їй вийти за нього заміж.
Тим часом Розі також знайшла собі пару — чорного кабанчика Чупі.
Усі вони одружилися в один день і жили дуже щасливо! А поросятка у них були плямисті — рожево-чорні!

14 Морський слон Тото

Одного дня Тото, маленький морський слон, лежав на березі моря і сумував.
Його тато спав поруч і дуже хропів.
Тото вирішив піти пошукати когось, із ким можна було б погратися. У воді він помітив морських левів, які кидали один одному кольоровий м'яч!
Він гукнув до них:
— Привіт! Виходьте гратися на берег!
— Та для нас мало місця, — відповів морський лев Отто. — Ви, морські леви, такі великі, що нам не буде де гратись.
— Та ні, зараз місце буде! — пообіцяв Тото. — Беріть м'яч і виходьте на берег!
Він підбіг до свого тата і почав його торсати.
— Тату, тату! Прокинься! Ти зайняв багато місця, і мені з друзями ніде гратися!
Тато почав щось буркотіти спросоння, але врешті відсунувся у куток біля скелі.
— Тепер тут багато місця! — крикнув Тото морським левам. — Можемо гратися!
Морські леви вийшли з води й почали гратися у м'яча разом із Тото! І їм було дуже весело разом!

15 Капелюх для білочки

Білка Ерік якось знайшов у лісі старенький капелюх. Він був дуже гарний, але надто вже великий! Капелюх падав Еріку на очі, й нічого не було видно!
Коли він прийшов до своєї подруги Жулі, та навіть його не одразу впізнала:
— Це ти, Еріку! Що то в тебе за капелюх? Він не завеликий для тебе?
Ерік зняв капелюха і привітався з Жулі.
— Я знайшов цей капелюха у лісі. Він мені дуже сподобався! Мабуть, хтось із людей його згубив!
— Але він надто великий для тебе! Може, його варто використати для чогось іншого? — запропонувала Жулі.
— Наприклад, для чого? — зацікавився Ерік.
Жулі задумалась, а тоді вигукнула:
— Туди можна складати горіхи!
— А й справді! — погодився Ерік. — Це буде чудова схованка!
І Ерік та Жулі насипали повнісінький капелюх горіхів!

Бамбук Того

Якось панда Того знайшов молодий бамбук. Його можна було їсти цілий тиждень! Він саме збирався поласувати соковитими пагонами, коли до нього підійшла панда Кіра.
— Який гарний бамбук! Мабуть, смачний? — запитала вона.
— Це я його знайшов! Думаю, він дуже смачний, — похвалився Того.
— Я теж з'їла б кілька пагонів... — сказала Кіра. — Можна, я пообідаю з тобою?
— Гаразд! — неохоче погодився Того.
В цей час із заростів вийшов панда Баґі.
— Який гарний бамбук! — захоплено вигукнув він. — Можна, я з вами пообідаю?
— Ні! — роздратовано відповів Того. — Тут і так мало!
— Та приєднуйся! — запропонувала Кіра.
Того насупився, але не став заперечувати, коли Баґі теж почав їсти бамбук.
Трохи згодом до них прийшов панда Ломі.
— А я знайшов цілі зарості бамбука! — похвалився він. — Приходьте, там на всіх вистачить.
Того стало соромно, що він не хотів ділитися з друзями...
А панди могли тепер удосталь ласувати бамбуком!

Вівці та Міль

Мама-міль була вся у клопотах. Наближалась холодна зима, тож треба було знайти місце, де її сім'я могла перезимувати. А ще ж треба було щось їсти!

Кожного дня міль летіла на пошуки нової домівки. І ось одного разу ніч застала її в полі. Оскільки людського житла поблизу не було, довелося їй заночувати серед отари овець.

Прокинувшись уранці в овечій вовні, міль зрозуміла, що кращого житла її діток годі й шукати! Вона полетіла додому і переселила свою родину в хутро овечки Чарі. Вівця ж навіть не помітила, що в її вовні з'явилися непрохані гості!

Мама-міль була задоволена — її дітям було тепло й затишно. Та раптом озвалась маленька міль Міту:

— Мамо, а що ми будемо їсти? Я вже зголодніла!

Мама-міль порадила діткам їсти овечу вовну. Ця їжа припала до смаку всім, і вони смакували нею доти, аж поки не з'їли половину вовни бідолашної Чарі!

Вівця Луїза помітила, що у її подруги Чарі не стало половини вовни!

— Що це з тобою? — здивувалась вона. — Куди поділась твоя вовна?

— Я не знаю, — розгублено відповіла Чарі. Вона навіть не помітила, як міль об'їла її!

— Як це не знаєш? Може, ти захворіла? Чи не лишай це? — допитувалась Луїза.

— Та ні... Я справді не знаю...

Чарі зажурилась. Що ж робити? Інші вівці сміялися з неї, не знаючи, що й вони теж в небезпеці!

Наступного дня міль перелетіла на вівцю Луїзу, і в неї теж поменшало вовни! Потім — на барана Ганса, і в його вовні з'явились чималі прогалини...

Коли фермер побачив усе це, то одразу ж зрозумів, у чому причина.

— Овець псує міль! — вигукнув він. — Треба її знищити! Інакше вона поїсть на вівцях усю вовну!

Він вирушив у аптеку, щоб купити засіб проти молі. Дізнавшись про це, мама-міль ухопила своїх діток і полетіла геть від овець. Доведеться їй шукати інше місце, щоб перезимувати!

19 Зайчик Жюстен

Восени зайчик Жюстен гуляв у парку. І раптом йому на голову почали падати каштани!
— Що це таке? — злякався Жюстен. — Каштани напали на мене!
Він розповів про цю пригоду друзям, але ті розсміялися:
— На тебе напали каштани?! Хотіли б ми на це подивитись!
І вони всі разом пішли до парку. На каштані зайці побачили білочку Русю.
— А, то ти, Русю! Так ось чому на Жюстена падали каштани! — зрозуміли вони.
— Вибач, Жюстене, я пожартувала! — сказала Руся.
— Та нічого! — відповів Жюстен, хоча було видно, що він дуже розсердився. Наступного дня він запросив Русю подивитися на його город. Білочка з радістю погодилась. Але коли вони прийшли на город, Жюстен нарвав моркви й почав кидати нею в Русю, примовляючи:
— Ось тобі! Це тобі за каштани!
— Та годі тобі, Жюстене! — заспокоїли його друзі. — Не можна бути таким злостивим. Адже Руся просто пожартувала!

20 Їжачок Гратон

Їжачок Гратон знав у лісі кожне дерево, кожен камінчик. Якось він вирішив перейти через дорогу, щоб подивитись, який ліс на тому боці.
— Це надто небезпечно! — спробувала відмовити його мама. — Одного разу твій дідусь пішов туди й досі не повернувся!
Але Гратон не послухався. Якось він вийшов на дорогу й почав озиратись — чи не їде машина. Потім нарешті зважився і попрямував на протилежний бік...
Раптом почувся якийсь шум, і Гратон кинувся назад.
— Я ж казала, що це небезпечно, — сказала мама.
— Але мамо, я хочу туди! — не здавався їжачок.
Він знову вибрався на дорогу... Раптом Гратон почув дзеленчання — то був велосипед!
— Гратоне, обережно! — скрикнула мама.

Їжачок чимдуж побіг на протилежний бік!
І кого ж він там побачив?
— Привіт, онуче! — назустріч вийшов дідусь-їжак.
— А я ніяк не можу перейти дорогу...

21 Голодні кабанчики

Троє кабанчиків ніяк не могли поділити знайдені жолуді.
— Я перший побачив цей жолудь! — говорив один.
— Ні, не ти! Це я його побачив! — негайно заперечував другий.
— Це мій жолудь! — наполягав третій.
Мама-свинка була дуже незадоволена тим, що її діти постійно сваряться.
Наступного дня ситуація повторилась. Біля великого дуба кабанчики побачили цілу купу жолудів. Старший відразу закричав:
— Я знайшов жолуді! Вони мої!
— Ні, я їх перший знайшов! — зарепетував його брат.
— То мої жолуді! — заверещав найменший кабанчик.
— Та годі вже! — не витримала мама-свинка. — Ви поводитесь, як дикуни! Чи ви такі голодні? Раз так, тепер я вас годуватиму! Ану, станьте в ряд!
Кабанчики пробурмотіли щось, але мусили послухатись.
— Зараз усі поїсте! — звеліла мама-свинка і схопила жменьку жолудів. — Відкривайте роти!
Кабанчики відкрили роти, і мама почала закидати туди жолуді. Тепер поросята не сварилися, бо тільки встигали жувати!

22 Хитрі півні

— Ко-ко-ко! Ко-ко-ко! — метушилась курка Соля. — Хтось побив усі наші яйця!
Всі кури зажурились. Хто ж це міг зробити?
— Сьогодні не будемо спати, а подивимось, хто краде та б'є наші яйця! — запропонувала іншим курям Соля.
Опівночі до курника зайшов півень із сусіднього курника — Роні...
— Заходьте! — пошепки звернувся він до своїх друзів-півнів. — Вони сплять.
Зараз будемо гратися! Є свіжі яйця!
Півні зібрали всі яйця і склали їх у купку.
— Цур, я перший! — вигукнув Роні, схопив камінь і прицілився. — Зараз я в них поцілю!
— Ти що це робиш?! — налетіла на Роні курка Соля.
— То це ви б'єте наші яйця?! — закричали кури.
— Знайшли чим гратись! Ану, геть звідси!

І вони почали щосили дзьобати півнів. Ті кинулись тікати, але з переляку не могли потрапити у двері. Піднявся такий шум, що хазяйка прокинулась і прибігла в курник. Коли вона побачила, як кури клюють півнів, то одразу ж зрозуміла, хто бив яйця... Ой, і дісталося ж півням!

23 Танок дощу

Равлик Рамон і його друзі сумували, адже дощу не було ціле літо! А равлики так люблять гуляти під дощем і повзати по мокрій травичці!
— Давайте танцювати танок дощу, — запропонував Рамон, висунувши голову зі своєї хатки.
Усі равлики теж висунули голови, випрямили ріжки і стали в коло.
— Починаймо! — скомандував Рамон.
І равлики поповзли по сухій траві. Вони танцювали й танцювали! Їжачок Герберт здивовано за ними спостерігав. Зрештою він не витримав і запитав:
— А що це ви робите? У щось граєтесь? Чи шукаєте дорогу? Але ж ви ходите по колу!
— Ні! — загукав Рамон. — Ми танцюємо танок дощу. Так ми викликаємо дощ!
— У вас це добре виходить, — зауважив їжачок. — Подивіться на небо!
Равлики поглянули на небо й побачили важкі сиві хмари.
— Ура! Зараз буде дощ! — радісно закричали вони.
Перші краплини впали на спраглу землю. Равлики були дуже щасливі!
Вони продовжували танцювати, але тепер уже від радощів!

24 Забудькуватий Фаб

Маленький лис Фаб був дуже неуважний і забудькуватий. Одного разу, коли він прийшов до школи, то побачив, що в нього немає портфеля. Він забув його вдома! Фаб ледве не плакав від досади. Що ж тепер робити? У нього було обмаль часу, щоб збігати додому за портфелем...
— Що той портфель! — сміялися звірята. — Ти поглянь на себе в дзеркало! Забудько! Ти ж піжаму забув зняти!

Довелося Фабові того дня сидіти у класі в піжамі й без зошитів та підручників. Усі звірі кепкували з нього. До того ж у їдальні він облився борщем! Ну чому йому так не щастить?..
І раптом пролунав дзвінок:
— ДЗІНЬ! ДЗІНЬ!
То дзеленчав будильник. Лисеняті все просто наснилось — то був страшний сон!
— Мамо! Не забудь дати мені мій портфель, — нагадав мамі Фаб і почав збиратись.
А по дорозі до школи він все ж кілька разів оглядав себе — чи не вийшов, бува, у піжамі...

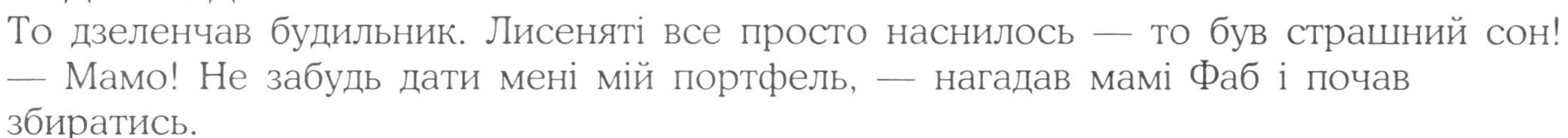

25 Бідолашна Жюстіна

Черепашка Жюстіна, гуляючи на луці, перечепилася за камінець і перекинулась животиком догори! Вона лежала на спині й безпорадно ворушила лапками в повітрі.
— Як же я тепер перевернусь? — бідкалась вона. — Мій панцир надто важкий, а ніжки дуже коротенькі! Я не зможу сама встати!
В цей час поряд проходив їжачок Герберт.
— Бідолашна Жюстіна! — поспівчував він черепасі. Я б охоче допоміг тобі, але ти така важка, а я надто слабкий, щоб тебе перевернути. До того ж, я можу тебе поколоти своїми голочками!
Потім повз Жюстіну проповз равлик Рамон. Він теж поспівчував бідолашці, але коли вона попросила його допомогти, сказав:
— О, ні! Хіба ж мені стане сили, щоб перевернути цілу черепаху? Я не зможу! Вибачай, Жюстіно!

— Я можу тобі допомогти! — вигукнула жабка Грета. — Я стрибатиму на твоєму животі й буду тебе лоскотати! Ти почнеш крутитися на всі боки й сама зможеш перевернутися!
Скік! Скік! Жаба заходилася стрибати й лоскотати Жюстіну. Черепаха почала соватись на спині, бо це було їй дуже неприємно, вона так хотіла перевернутись, що аж почервоніла він напруження, але все було марно — ніяк не могла стати на лапки!
— Я ніколи не зможу ходити! — плакала бідолашна черепашка. — Так і буду лежати, поки не помру! У мене вже голова паморочиться!
І тут до неї підлетіла ластівка Аріель.
— Не хвилюйся, Жюстіно! — сказала вона. — Зараз я полечу в ліс і покличу на допомогу кабанчика Симона. Він умить переверне тебе своїм п’ятачком!
Незабаром вона справді повернулася разом із Симоном. Кабанчик обережно підхопив Жюстіну п’ятачком і легко перевернув її.
— Дякую вам, друзі, що ви мене врятували, — розчулено промовила черепаха. — Тепер я буду дуже обачною!

Баранці на «хмаринках»

Одного разу двоє білих баранців — Патрік і Фрісу — гуляли на луці й милувалися кучерявими хмаринками в небі.
— Мені здається, що ці хмари ще м’якші, ніж наша вовна! — сказав Патрік.
— Мабуть, на них так гарно спати! От би там відпочити! — замріяно додав Фрісу.
Раптом поруч із ними щось задзижчало, і на луку сіла літаюча тарілка! Звідти вийшов зелений баранець!
— Я почув, про що ви розмовляли, — звернувся до Патріка і Фрісу баранець-інопланетянин. — Тому запрошую вас у мою тарілку! Я покажу вам хмаринки, а ви зможете на них відпочити!
Патрік і Фрісу дуже здивувались. Їм було трохи боязно, але вони пішли до літаючої тарілки разом із зеленим баранцем.
Хмаринки дійсно були м’якенькі, як пух! Баранцям так сподобалось спати на них, що вони вирішили залишитись там назавжди! І якщо уважно подивитись на кучеряві хмаринки в літньому небі, то можна побачити на них білих баранців Патріка і Фрісу.

Кріт Лу

Хоча у крота Лу був поганий зір, він був майстер на всі руки. Лу міг змайструвати чи полагодити будь-що! Білки, кролики та миші завжди кликали його, коли у них щось ламалось. Але іноді Лу було важко це робити, бо його інструменти були надто старі.
— Ой, знову не вийшло! — зітхав Лу і починав роботу спочатку.
Одного разу до крота прийшов кролик Лео.
— Лу, допоможи! Я зламав ключа від своєї нірки! — в розпачі вигукнув він.

Кріт узяв свій ящик з інструментами і вирушив за кроликом. Він довго мучився, бо інструменти затупилися, а ключ мав бути дуже маленький... Нарешті Лу вдалося витягти зламаний ключ і натомість зробити новий!
— Дякую, Лу! — вигукнув кролик. — Я знаю, як тобі віддячити!
Наступного дня Лу побачив під своїми дверима новий ящик з інструментами. Оце так подарунок! Тепер уся робота в його руках просто кипіла!

29 Морські їжаки

На дні океану гралися маленькі морські їжаки. Раптом вони побачили, як до них наближаються двоє восьминогів! Їжачки побігли до старших і почали жалітись:
— Там знову прийшли восьминоги! Вони нас хапають і починають нами жонглювати, неначе м'ячами!
— Шкода, що ми не справжні їжаки, — зітхнув маленький морський їжачок. — Якби у нас були голки, вони б нас не зачіпали...
Старші морські їжаки вирішили провчити восьминогів. Вони назбирали колючок і прикріпили їх до свого тіла.
— Заховайтесь он там і дивіться, що буде! — звеліли вони малюкам.
Морські їжаки наблизилися до восьминогів. Ті ж, як завжди, схопили їх, щоб жонглювати!
— Ой! Ай! — раптом закричали восьминоги.
— У них голки! Вони колючі, наче справжні їжаки!
Восьминоги вирішили більше не зачіпати морських їжаків. З того часу вони жонглювали тільки камінцями!
Ось так морські їжаки провчили восьминогів!

30 В дорогу!

Осіннього ранку чайка Забет висунула голову із гнізда й здивувалась:
— Це ж треба — так холодно! Не хочеться й вилітати з тепленького гніздечка!
— Гей, Забет! Ходи-но сюди! — покликали її подружки-чайки. — Ти не забула, сьогодні ми вирушаємо в дорогу!
Усі чайки вже сиділи на дротах, готуючись летіти у теплі краї. Вони чекали тільки на Забет!
— Я вже йду! — гукнула Забет. — Тільки трохи приберу в гніздечку! Бо ж сюди треба буде ще повертатись!
Швиденько навівши лад у гнізді й прикривши його гілочками, Забет приєдналася до своїх подруг.
— То куди ми летимо? До Африки? — запитала вона.
— Авжеж!
— Ну все — полетіли! Раз, два, три! — і чайки полетіли в теплі краї.
Усю зиму Забет та її подруги провели на узбережжі теплого моря. Вони дуже стомилися протягом польоту, але на півдні було так тепло й гарно, що чайки незабаром забули про всі свої негаразди!

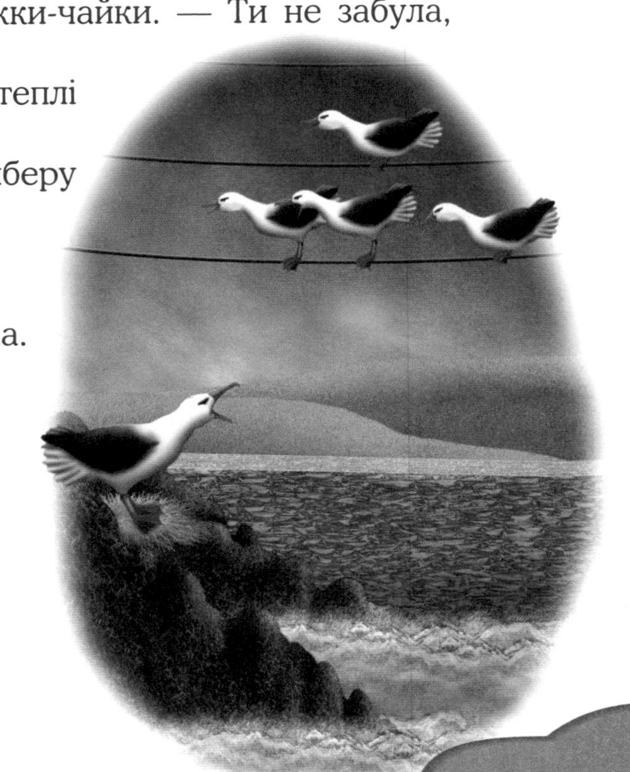

1 Скоро зима!

Байбачиха Кракот готувалася до зими. Вона носила жмутки трави та гілочки дерев. Якось її зустріла подружка — скунсиха Жоржета.

— Ти що, вже до зими готуєшся? — здивовано запитала вона.

— А хіба не час починати до неї готуватися? — буркнула байбачиха. — Треба запастися всім, щоб було, що їсти й на чому спати, адже зима буде такою довгою!

— А я не хочу спати! І готуватися до зими не хочу — я хочу гуляти! Ходімо бавитись! — запропонувала Жоржета. — Будь ласка!

Кракот на це нічого не відповіла. Звісно, вона була не проти погратися, але ж треба було працювати! До того ж із наближенням зими їй уже хотілося спати…

2 Кролик Жюстен

Жоржета сумувала. Вона не знала, що робити, — їй зовсім не хотілося спати. Кракот уже солодко спала, тож їй не було з ким погратися і поговорити. Але раптом Жоржета згадала про ще одного свого друга — кролика Жюстена! І в неї з'явилась чудова ідея!

— Привіт, Жюстене! — привіталась Жоржета, коли кролик визирнув зі своєї нірки. — Мені терміново потрібна твоя допомога!

— Що сталося? — здивовано запитав кролик. — І що я маю зробити?

— Кракот заснула і спатиме всю зиму, а мені без неї дуже сумно, — поскаржилась Жоржета. — Та якщо ти заграєш на трубі, вона подумає, що вже весна, і прокинеться.

Жюстен подумав трохи, а потім сказав:

— Гаразд, я тобі допоможу! Але чи вона в це повірить?

— Авжеж, повірить! Навіть і не сумнівайся! Коли ти заграєш весняних мелодій — вона не зможе встояти! — запевнила його Жоржета.

3 Прийшла весна!

— Ти дуже гарно граєш, — похвалила кролика Жоржета. — Думаю, це має спрацювати!
І вони разом пішли до нірки Кракот. Деякі звірята, які не лягали в зимову сплячку, також приєдналися до них. Вони пофарбували сухі листочки на деревах у зелений колір, а коло нірки байбачихи поставили нагрівач, який подавав у нірку тепле повітря. Пташки весело виспівували. Кролик дістав трубу і почав грати.
— Ура! Весна прийшла! — раділи звірята.
Кракот у нірці почала ворушитися. Почувши весняну мелодію та дзвінкий спів пташок, вона нашорошила вуха й розплющила очі.
— О-о-о! От і весна прийшла! — радісно вигукнула вона. — Та й гарно ж я виспалась!
І Кракот, позіхаючи, вийшла з нірки.
— Привіт, Кракот! Бачиш, ми влаштували для тебе справжню весну! — закричали звірі.
Кракот зовсім не образилася на них. Навпаки, їй було дуже приємно. Тим більше, що вона вже встигла виспатись. Кракот запросила усіх звірів на вечірку і пригостила своїми смачними запасами. А наступного дня вони із Жоржетою знову бавилися разом! Жоржета була дуже щаслива. Щоправда, досить скоро Кракот знову солодко спала — попереду сувора зима...

4 Гра в баскетбол

Маленький кенгуру Кенго дуже любив гратися. Одного разу його друг Кенгуліто запропонував:
— У всіх мам-кенгуру є кишені на животику, у них так зручно кидати м'ячі! Давай спробуємо пограти в баскетбол!
Мами-кенгуру погодилися пограти разом з малятами-кенгурятами і приготували свої кишеньки. Але Кенгуліто був набагато вправніший за Кенго — він влучав точно в ціль, тому завжди вигравав. Кенго ж ніяк не міг потрапити м'ячем у кишеньку, і врешті заплакав:
— Мамо, я не вмію грати в цю гру! — пхинькав він.
Кенгуліто спробував заспокоїти свого друга:
— Не переймайся, просто ти ще дуже маленький!
А мама ніжно обійняла свого Кенго і посадила в кишеньку.
— Нічого, синочку, скоро ти підростеш і гратимеш краще за всіх! А поки що поспи!
Кенго заспокоївся і солодко заснув. У маминій кишеньці було так затишно!

5 Мишка Ніні

Серед усіх мишок села Ніні мала найважливішу роботу — вона забирала зубки, які випадали у маленьких діток. Бо ж всі знають — якщо випав зуб, треба, щоб його забрала мишка, тоді наступний зуб виросте міцним! А замість зуба, який дітки клали під подушки, мишка залишала маленькі монетки. Часто Ніні писали записки: «Забери зуб у будинку №8, що на вулиці Вишневій!», — і мишка вночі поспішала туди. Але одного разу, коли вона прийшла за адресою, що була вказана у записці, то побачила під подушкою величезний зубище!

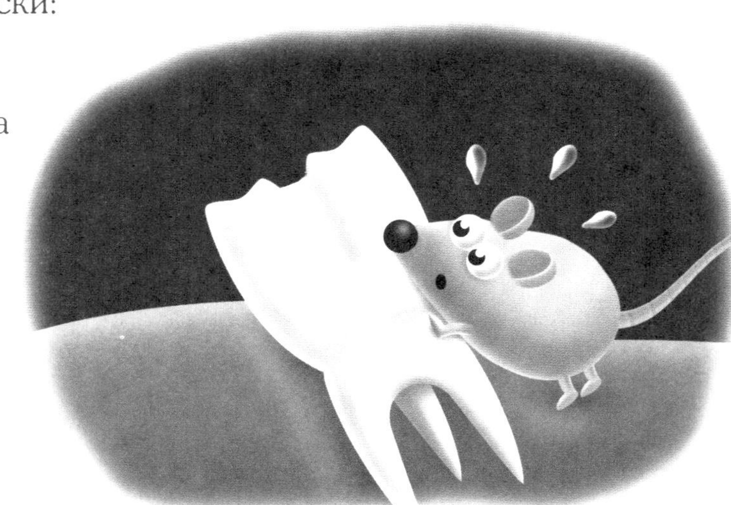

— Та як же його забрати? — бідкалася Ніні. — Я й підняти його не можу!

Бідолашна Ніні! Вона потрапила до велетнів! Мишка намагалася підняти зуб, але марно. Врешті вона втомилася і заснула...

— Ой, яка гарна мишка! — вигукнула вранці донька велетня. — Це найкращий подарунок — вона тепер буде моєю подружкою!

Тож довелося шукати іншу мишку, яка могла б забирати зубки діток...

6 Басейн Моко

Моко — не простий крокодил. У нього дуже багато грошей! Він — справжнісінький пан, тому інші звірята не дуже його люблять. А ще йому не подобалося купатися разом з усіма у річці.

— Ви всі мене не варті! — пихато говорив він. — Як же мені набридло купатися тут разом із простими звірятами!

— То збудуй собі окремий басейн! — роздратовано відповіли шимпанзе. — Бач, який пан знайшовся!

Моко це зачепило. Він вирішив провчити нахабних мавп. Але ж як це зробити? Крокодил довго думав і врешті вирішив, що найкращий спосіб — це дійсно збудувати власний басейн і купатися там самому!

— Так, я збудую собі басейн, — сказав він. — Завтра ж викличу майстрів-бобрів, і вони все зроблять, як треба! І ніхто не посміє купатися в моєму чудовому басейні — він буде тільки МІЙ!

7 Майстри-бобри

Бобри працювали дуже швидко та спритно, і незабаром басейн був готовий! Усі звірята про це дізналися і прийшли подивитися на таке диво. Шимпанзе також прийшли разом з усіма й знову почали сміятися:
— Ну гаразд, збудував ти басейн, але ж як у ньому купатися? Там же немає води! — хихотіли вони.
— Я знаю, як зробити так, щоб там була вода! — відповів Моко.
— Для цього я й найняв слонів!
Він свиснув, і до басейну підійшли кілька слонів. Вони опустили туди хоботи й за лічені секунди наповнили басейн чистісінькою водою!
— Ой, як гарно! Яка водичка! — загукали звірята. — Можна хоч лапки вмочити?
Крокодил Моко так хотів спокою! Він не витерпів цього галасу й просто пішов геть. А звірята почали купатися в басейні! Довелося Моко йти на річку...

8 Мисливський песик Пепе

Пепе — мисливський песик. Одного разу мисливці взяли його з собою на полювання. Але Пепе не хотів полювати на кроликів — вони були його друзями! Однак, з іншого боку, він був мисливською собакою, тому мав служити мисливцям... І Пепе знайшов вихід! Перед полюванням він побіг до нірок кроликів і попередив їх:
— Коли у вас почнуть стріляти, падайте й прикидайтеся мертвими! Я обережно принесу вас до мисливців, а потім, коли вони перестануть звертати на вас увагу і полюватимуть далі, ви легко зможете втекти!

— Паф-паф! — залунали постріли. Пепе приносив кроликів і складав їх під деревом. Але як тільки мисливці відверталися, кролики схоплювались і кидались навтьоки!
Коли мисливці хотіли забрати здобич, то побачили, що насправді нічого не вполювали!
Кролики дуже дякували своєму другові Пепе, а він був надзвичайно радий, що зміг врятувати своїх друзів!
— Шкода, що я мисливський собака, — зітхав він. — Сподіваюсь, колись моїм господарям набридне полювати!

9 Жирафи хочуть пити!

У жирафів Джі й Софі були дуже довгі ноги та шия, тому вони ніяк не могли вдосталь напитися води. Їм було так незручно пити!

— Добре вам! — казали вони іншим звірятам савани. — У вас короткі лапки, тож ви можете просто висунути язика і спокійно собі хлебтати воду... А нам доводиться виконувати справжні акробатичні трюки! Якби ви знали, як це незручно! Щоб напитися, нам доводиться ставати на коліна і низько нахиляти шию!

Звірята щиро співчували бідолашним жирафам і вирішили їм якось допомогти. Антилопи, газелі та бегемоти зібралися разом і стали міркувати. Нарешті бегемоти придумали вихід:

— Джі й Софі потрібні величезні соломинки для напоїв! Тільки вони мають бути дуже довгі, щоб жирафам було зручно діставати до води.

І наступного дня звірі подарували жирафам соломинки. Джі й Софі були надзвичайно задоволені — тепер їм було дуже зручно пити, і вони більше не страждали від спраги!

10 Павучки

Павучки Ай і Ой хутенько плели свої павутини. Невже вони готувалися до якогось змагання? Саме так — у лісі проводився конкурс на найкращу павутину! Звісно, і Ай, і Ой хотіли в ньому перемогти! А оскільки вони жили по сусідству, то постійно перегукувалися та сварилися.

— У мене краща павутина! — гукав Ой.

— Ні, в мене! — відповідав йому Ай. — Подивись, який гарний візерунок! Ти нізащо такий не сплетеш!

Так вони сварилися до самого початку конкурсу. Але коли оголосили переможця, і Ай, і Ой засмутилися, бо перемогли зовсім не вони! Перемогла павучиха Жу, яка сплела найбільшу павутину із чарівним візерунком. Вона й отримала приз.

— Ну от, я не переміг, — сумно сказав Ой.

— І я, — зітхнув Ай.

— То може, хоч помиримось? — запитав Ой.

— Залюбки! — зрадів Ай. — Приходь до мене в гості!

Найкращі подруги

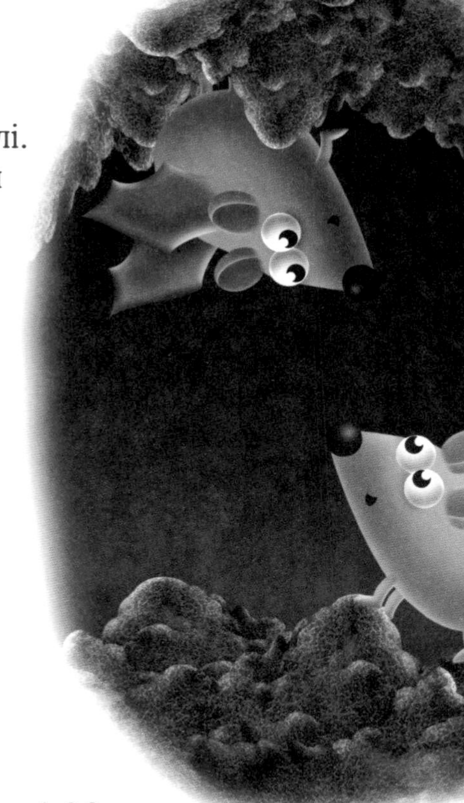

Одного вечора кажаниха Зізі побачила білу мишку Мілі.
— Ми такі схожі! — здивовано вигукнула Зізі. — Якби ще в тебе були такі крила, як у мене, ми б узагалі були як сестри! Але ми можемо бути подругами.
Мишка була дуже рада, що знайшла нову подружку. Зізі й Мілі весело гомоніли, аж поки надворі не посутеніло. Мілі почала позіхати.
— Вже ніч надворі! — сказала вона. — Може, будемо спати?
— Та ти що! Адже ніч тільки почалася! Саме час розважатися й полювати! — заперечила Зізі.
Звісно, вони не знали, що для однієї з них кращим часом була ніч, а для іншої — день! А коли це зрозуміли, то знайшли вихід!
— Якщо я сплю вночі, а ти вдень, — запропонувала Мілі, — ви можемо зустрічатися вранці.
— Так, і ввечері теж, — додала Зізі.
Так вони й дружили, зустрічаючись щоранку і щовечора! Мишки стали найкращими подружками!

Маленький пінгвін

Пінгвін Пін був ще дуже маленьким — йому виповнилося лише півроку! Тому батьки не дозволяли йому купатися в морі.
— Твоє пір'я ще дуже слабке, — говорили вони, — воно не зможе опиратися воді, ти станеш важким і можеш потонути!
Пін завжди слухався маму і тата. Коли вони запливали далеко в море, щоб роздобути для сина якоїсь їжі, Пін сидів у своїй теплій печерці й чекав їх. Та якось батьки попливли за здобиччю і довго не повертались. Пін вийшов на берег і почав вдивлятись у далечінь. Він чекав аж до вечора, але мами й тата все не було...
Пін хотів уже стрибнути в море і пливти на пошуки, аж раптом побачив, що батьки повертаються! Цього разу вони запливли надто далеко, зате й риби наловили більше, ніж зазвичай. Тато й мама похвалили Піна за те, що він не поліз у воду, й нагодували його смачною рибкою.
— Ти в нас молодець! — хвалили вони сина. — Добре, що ти такий слухняний пінгвінчик! Ось тобі найкраща рибинка. Пін промовчав, що збирався на пошуки батьків...

13 Краб і Морська зірка

Краба Пінса всі жителі моря вважали справжнім красенем. Але він на те не зважав! Йому подобалась лише морська зірка Талі.
Дивно, але Талі його не помічала.
Пінс сумував і не знав, що йому робити...
— Вона така гарна, — зітхав він, — і зовсім не звертає на мене уваги. Що ж мені робити, щоб їй сподобатись?..
Морські жителі жаліли краба, та нічим не могли йому допомогти. І ось одного разу він зустрів медузу і розповів їй про свої страждання.
— Я знаю, що ти можеш зробити, — сказала медуза. — Заспівай Талі серенаду, тоді вона зверне на тебе увагу!
Краб подумав, що це справді слушна порада. Сім днів і сім ночей шукав він тексти серенади, а коли знайшов, то був такий радий, що аж пританцьовував!
Він заспівав Талі. Морська зірка була вражена — вона ще ніколи не чула такої гарної пісні!
— Давай погуляємо разом, — запропонував Пінс.
— Гаразд! — радо погодилась Талі.
Відтоді вони разом гуляли, і Пінс співав їй пісень.

14 Вовк, що став собакою

Одного разу старий вовк прибіг на поле, де паслися вівці. У нього аж слинка потекла — такий він був голодний.
— Нарешті я наїмся! — гарчав він, наближаючись до овечок.
Але бідолаха вовк трохи накульгував, бо поранив собі лапу...
Пастух, який пас овець, був теж старенським і мав дуже поганий зір. Йому здалося, що то його собака!
— Бідний собако! Ти так кульгаєш! Дай-но я вилікую тобі лапку! — сказав він, наближаючись до вовка.
Вовк розгубився. Вперше його назвали собакою — оце так дивина! Однак він слухняно підійшов до пастуха. Той почав його лагідно гладити, а потім промив рану і змастив її ліками.
— За кілька днів будеш як новенький! — втішив вовка пастух. — Маєш одужати, щоб допомагати мені пасти овець!
Вовк навіть і мріяти не міг про таке щастя — пасти овець.
— Ну, все, вівці будуть моїми! Влаштую собі справжній бенкет! — думав він.

15 Вовк пасе овець

Так спливали дні, тижні й місяці. А вовк усе допомагав пастухові! Вівці ж були дуже занепокоєні:

— Та цей пастух геть із глузду з'їхав! Приставив до нас вовка замість собаки! Він же нас усіх поїсть!

Але вовк потроху призвичаївся до своєї роботи. Він вправно пас овець, і така робота почала йому навіть подобатись! Очі його радісно виблискували, та й поводився він дуже добре. Янголя, а не вовк! Звісно, іноді йому хотілося з'їсти хоча б одну вівцю, але він себе стримував і тільки зітхав. Він не хотів кривдити старого пастуха, який до того ж добре його годував.

Одного ранку пастух покликав вовка і сказав йому:

— Друже, треба нам збирати всіх овець та вести їх до села, бо скоро вже зима!

Вовк сумлінно виконав прохання пастуха. Він зібрав усіх овець і погнав їх до села. Але на околиці зупинився, сумно поглянув на пастуха й овець, тужно завив і побіг назад — до лісу... Все ж таки він був вовком, а не собакою!

16 Старий крук

Старому крукові Кроко було невесело. Він був єдиним круком у селі. Завтра його день народження, але ж хто прийде його привітати?

— Ми прийдемо! — пообіцяли його друзі шпаки.

— І ми прийдемо! — приєдналися до них синички.

— Це чудово! Але мені б хотілося побачити своїх братів і сестер, які привітати б мене словами «кар-кар», — сумно відповів крук. — Але вони так далеко!

Птахи вирішили, що треба якось розрадити старого крука.

— Що ж робити? Адже усі його родичі й справді далеко звідси! — сказав один шпак.

— Я знаю, що можна зробити! — весело вигукнув інший.

Усю ніч птахи щось вирізували, клеїли, розфарбовували...

Вранці, коли Кроко визирнув із гнізда, він дуже здивувався. На гілках сиділо безліч круків! Побачивши Кроко, вони закричали:

— Кар! Кар! З днем народження!

Звісно, то були не справжні круки, а шпаки й синички, які зробили собі дзьоби, як у круків. Але старий Кроко так розчулився! То був найкращий день народження в його житті!

17 Вередлива кізонька

Кізонька Бела постійно вередувала! Вона була дуже гарна, тому вважала, що всі довкола мають виконувати її забаганки, а найбільше — друг кізоньки Ніко!
Бела цілісінькі дні вимагала від Ніко то того, то іншого... Вона хотіла, щоб він здійснював подвиги!
— Якщо я тобі подобаюсь, нарви мені пагонів з он того високого дерева! І щоб уранці вони були тут!
На світанку Ніко подерся на дерево за пагонами. Він ліз дедалі вище, аж раптом почув: «ХРУСЬ!».
Гілка під ним хруснула і зламалась, і Ніко впав з дерева на землю!
Бела дуже злякалась і кинулась до нього. Ніко не ворушився!
— Ніко, Ніко, що з тобою! — в розпачі закричала кізонька. — Ти живий? Не вмирай, я обіцяю більше не вередувати!
Ніко розплющив хитрі оченята:
— Правда не будеш? — запитав він. Звісно, Ніко забився, але все було не так страшно. Він просто трохи переграв!
— От жартівник! — і Бела допомогла йому піднятися. — Гаразд, не буду більше вередувати!

18 Порятунок Тіту

Одного разу цуцик Тіту потрапив у таку халепу! Він грався у піжмурки з друзями і вирішив сховатись у водостічній трубі. Але коли захотів вибратися звідти, то зрозумів, що застряг!
Бідолашний Тіту почав жалібно скавуліти. Але ніхто не приходив йому на допомогу!
Неподалік проходив кіт Альбер. Він і почув скавчання Тіту.
— От дурненьке цуценя! І чого ти туди залізло? — роздратовано запитав він. — От і сиди там, я тобі не допомагатиму, і не думай!

— Будь ласка, витягніть мене, пане кіт! Я хочу додому! — скавулів Тіту.
Він так жалібно дивився на кота, що той не витримав.
— Гаразд, я допоможу тобі! — сказав він. Альбер допоміг Тіту вибратися з труби і навіть відвів його додому.
Вдома Тіту похвалився татові, що його врятував кіт Альбер.
— Гм, то коти насправді не такі вже й погані! — мовив тато Тіту. — Треба буде якось запросити його на вечерю!

19 Морозиво для Хуго

Північний пес Хуго ніяк не міг звикнути до життя в місті.
— Мені так спекотно тут! Хіба ж такий собака, як я, може тут жити? Мені потрібен сніг і лід — тоді я гарно почуватимусь!
Одного разу неподалік проїжджав фургончик з морозивом. Водій гукав у мікрофон:
— Найсмачніше морозиво у місті! Холодне та дуже смачне! Різні кольори та різні смаки — підходь, вибирай!
— О! — зрадів Хуго. — Це саме те, що мені потрібно! Ось де я буду жити!
І пес тихцем прокрався у фургончик, де й поласував морозивом донесхочу! Коли водій відчинив дверцята й побачив Хуго, він спершу дуже здивувався, але потім навіть зрадів:
— Та ти ж справжній північний пес! Будеш продавати морозиво разом зі мною — це буде найкраща реклама!
З того часу Хуго їздив разом із продавцем морозива по місту і продавав дітям холодні ласощі. Він почувався дуже добре у прохолодному фургончику, а ще міг куштувати усе морозиво, яке тільки хотів!

20 Зима наближається!

Зима була вже близько, і всі звірята це відчували. Листя на деревах ставало дедалі менше, а вранці трава іноді була вкрита інеєм. Пугач Бу більше не пугикав, а мовчки сидів у своєму дуплі, білка Руся не вистрибувала по деревах, а бджоли солодко спали у вуликах... Тільки пустунка-сорока ніяк не могла заспокоїтись. Вона так не хотіла, щоб приходила зима!
— Ви спите? Ви спите? — скрекотала вона. — Вставайте!
Їй ніхто нічого не відповідав — хто солодко спав, а хто просто дрімав у своїй хатинці, очікуючи весни. Та сорока не вгавала.
Якось пугач Бу не втримав:
— Та не кричи ти! — роздратовано сказав він сороці. — Взимку всі звірі сплять або просто не хочуть виходити зайвий раз зі своїх теплих нірок. Нікому не хочеться гратися, коли так холодно. Тому заспокойся, постарайся заснути — і незчуєшся, як весна прийде. Тоді всі з радістю пограються з тобою.
Та куди там сороці спати! Довелося шукати подружок у місті.

21 Віслючок Тіко

Щоранку віслючок Тіко спостерігав, як його тато Емон кудись вирушав, несучи на спині важкі пакунки. А щовечора повертався додому без них і дуже стомлений!

— Чому ти вранці йдеш кудись із пакунками, а повертаєшся без них? І чому ти завжди такий стомлений? — запитав якось Тіко.

— Я виконую різні доручення фермера, а стомлююсь, бо вантажу багато і часто він буває досить важким... — відповів тато-віслюк.

— А можна, я буду тобі допомагати? Тобі стане набагато легше, — запропонував Тіко.

— Ти ще маленький, — посміхнувся тато. — Краще грайся з друзями!

Але Тіко все-таки хотів допомогти татові. Він розповів про це іншим віслючкам, і ті теж захотіли допомагати своїм батькам. І от наступного ранку маленькі віслюки взяли невеличкі пакунки і вирушили разом із дорослими віслюками їх розносити. Татусі-віслюки вже так не стомлювались, тому могли ввечері гратися зі своїми малими помічниками!

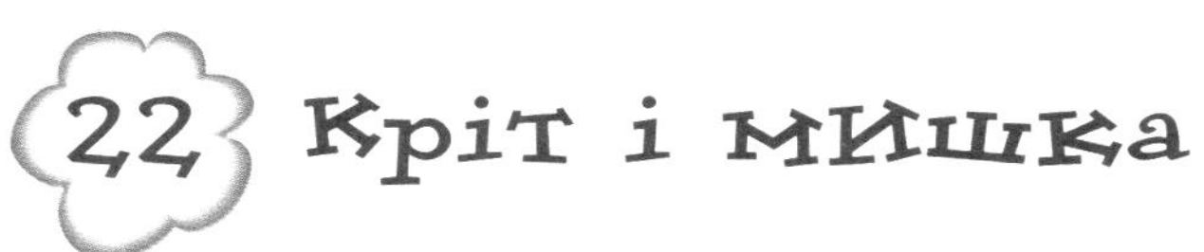

22 Кріт і мишка

Кріт Жуль запропонував мишці Мусі вийти за нього заміж! Мишка з радістю погодилась, і вони почали готуватися до весілля. Треба було стільки всього зробити — назбирати лісових горіхів, повідкривати банки з варенням, розлити по глеках березовий сік... Всі звірята взялися їм допомагати. Та при цьому вони не переставили дивуватись: хіба ж можуть кріт і мишка одружитись? Де ж вони житимуть? Мишка не зможе жити під землею в норі крота, де так темно, а кріт не може жити в лісі, бо майже нічого не бачить!

— Дивне весілля, правда ж? — сказав кролик.

— Авжеж! — погодилась білочка.

Але кріт та мишка не зважали на розмови. Вони раділи, що відтепер завжди будуть разом! А жити вони вирішили один день під землею, а один день у лісі, щоб нікому не було кривди! Заради свого кохання вони згодні були терпіти маленькі незручності. Це ж такі дрібниці!

— Оце так кохання! — захоплено вигукнув дощовий черв'як, коли всі розходились після весілля по домівках.

— Еге ж! — підтвердив кролик. — Хотів би я теж таке зустріти!

А кріт і мишка жили дуже щасливо і не раз запрошували всіх звірят у гості.

23 Маленькі кротенята

Навесні, коли ластівка Лілі повернулася з теплих країв, ласка Дуду повідомила їй радісну новину:

— У кротів з'явилися маленькі кротенята! — вигукнула вона. — Майже всі звірі та птахи вже привітали батьків, лишились тільки ми з тобою! Нам треба також їх привітати і щось подарувати! Я вже нарвала букет квітів і купила пляшечку для молока!

— Гаразд, тоді я подарую їм теплі шкарпетки й шапочки! — сказала ластівка.

Ластівка і ласка вирушили до нори кротів. Кротенята були такі гарненькі! Вони спали у ліжечку, бо були ще зовсім маленькі. Батьки-кроти із вдячністю прийняли усі подарунки і запросили ластівку й ласку до столу.

— Гарні у вас дітки! — похвалила ластівка. — А як ви їх назвали?

— Бу, Ку Лу і Ду! — відповів гордий тато-кріт. А мама гордо додала:

— Вони у нас найкращі!

24 День народження Бао

Удав Бао помітив, що навколо нього щось відбувається. Всі звірі кудись поспішали і при цьому нічого не хотіли йому пояснити.

— Куди ти йдеш? — запитав він у кролика.

— Це таємниця! — відповів кролик і побіг собі.

Бао хотів простежити за кроликом, але той був надто прудким, і Бао не зміг його наздогнати!

Через якийсь час він побачив корову Бабі, яка теж кудись прямувала.

— Бабі, ти куди? Можна, я піду з тобою?

— Ні, — відповіла корова.

— Чому всі не хочуть, щоб я йшов разом із ними? — засмутився Бао.

— Це секрет. Дізнаєшся про все завтра! — пообіцяла корова.

— Але чому завтра? Ще так довго чекати! — ще більше зажурився Бао. Але Бабі була непохитною і так нічого й не розповіла йому.

Наступного дня Бао прокинувся від якогось шуму. Він розплющив очі й побачив усіх своїх друзів. Вони тримали величезний торт, на кому горіли свічки! Бао зовсім забув про свій день народження, а друзі, виявляється, готували для нього сюрприз!

— Дякую, друзі! — сказав розчулений удав.

25 Дикий кіт Тарзан

Кіт Тарзан бешкетував, як тільки міг! Рвав квіти, топтав травичку, розкидав усе довкола... Всі говорили, що, мабуть, Тарзан — дикий кіт, раз він такий невихований! Інші коти не хотіли з ним гратися, бо він постійно їх кривдив. Тому доводилося йому гратися на самоті.
Одного разу, коли Тарзан, стомившись від своїх витівок, відпочивав на травичці, він почув приємне нявчання. На дереві сиділа гарненька киця! То була красуня Мінні!
— Привіт! — вигукнув Тарзан. — Давай гратися?
— Привіт, — відповіла Мінні. — Але гратися з тобою я не буду. Я тебе впізнала, ти — дикий кіт. Ти завжди погано поводишся, а я не граюся з невихованими котами.
Тарзан дуже засмутився. Йому сподобалась Мінні, й він хотів би з нею потоваришувати... З того часу йому вже не хотілося бешкетувати й робити шкоду, і порвані іграшки не давали насолоди. Битися з іншими котами він теж не хотів. От якби Мінні захотіла з ним дружити!
Та коли він вже зовсім впав у відчай, красуня Мінні сама підійшла до нього:
— То що, ходімо гратися?
Тарзан просто вухам своїм не повірив, а Мінні продовжувала:
— Я знаю, ти більше не дикий! Давай дружити!

26 Неслухняний голуб

— Анжі! — попросила мама-голубка, — принеси мені оливкову гілочку!
— Та ну, — протягнув Анжі, — Мені ніколи!
— Анжі! — гукнув тато-голуб. — Мені також потрібна оливкова гілка!
— Але ж, тату, до оливкового дерева так далеко, — відповів Анжі. Він зручно вмостився на гілці, і йому було лінько навіть поворухнутись.
Батьки розсердились на свого лінивого й неслухняного сина.
Через деякий час Анжі захотів їсти. Він прилетів до мами й запитав, чи вже готовий обід.
— Та ні, — відповіла мама. — Мені так лінько було його готувати.
Анжі насупився, але промовчав. Він знайшов якісь крихти і втамував ними голод. Потім звернувся до батька:
— Тату, ходімо купатись на річку!
— Ой, сину, до річки так далеко, — відповів тато-голуб. — Як подумаю, що треба вставати й кудись летіти...
З того часу Анжі ніколи не лінувався і завжди слухався своїх батьків.

27 Поросятко Тік

Поросятко Тік дуже любило ласувати цибулинами диких квітів. Вони були такі смачні, що Тік міг би їсти їх цілий день! Але одного разу, коли він прийшов на луку, то побачив, що всі квіти вже вириті. Отже, цибулин більше немає, а Тіку так хотілося поласувати ними! Він вирішив піти до міста й пошукати квіти там.
У місті Тік одразу знайшов великий квітник із гарними квітами. Він переступив через невисокий парканчик і почав рити землю. Тік викопував квіти, виривав із землі цибулини і з насолодою їх гриз. Але його помітив охоронець, що проходив неподалік! Він насварив Тіка і прогнав його геть.
Всю дорогу додому Тік гірко схлипував. А дома розповів про свою пригоду мамі.
— Мамо, ну чому він мене прогнав? — запитав Тік. — Я ж просто їв квіти! Всі свині їх їдять!
— Синку, запам'ятай, ми можемо їсти лише тільки дикі квіти! А ті, що ростуть на квітниках, чіпати не можна! Ці квіти — для краси, а не для їжі.
— Але на луці більше немає квітів!
— Значить, ми посадимо нові, й коли вони виростуть, ти зможеш ними ласувати, — відповіла мама.

28 Черв'ячок Вік

Якось черв'ячок Вік побачив на яблуні велике рум'яне яблуко.
— Ото буде для мене гарний будиночок! — подумав він і швиденько поповз угору по стовбуру. Вік дістався до червонобокого яблука і заходився проїдати у ньому тунель.
— Гей, що це ти робиш з моїм яблуком?! — раптом почув він гнівний голос.
Вік озирнувся і побачив черв'ячка, який сердито дивився на нього.
— А чому це ти вирішив, що яблуко твоє? — запитав він.
— Тому що я побачив його першим! — відповів черв'ячок. — Тому забирайся звідси!
— Але ж куди я піду? — засмутився Вік і ледь не заплакав. — Усі яблука вже зайняті — де ж я зможу знайти для себе будиночок?
— Гаразд! — вирішив черв'як. — Залишайся! Будемо жити разом. Ти роби собі хатку з одного боку, а я зроблю з іншого. Щоправда, нам буде трохи тісно, зате ми будемо зустрічатися і розповідати різні історії!

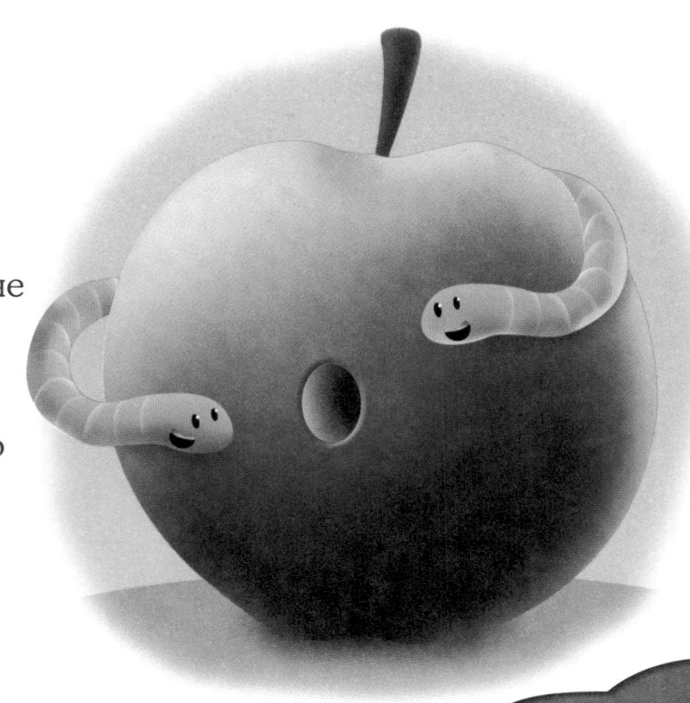

29 Метелик і ведмедиця

Одного разу ведмедиця Тара гуляла берегом невеличкої річки і побачила гарненького барвистого метелика. Вона дуже захотіла його спіймати!
— Зараз я тебе спіймаю! — примовляла вона, тупцяючи біля річки.
Але метелик був дуже прудкий і спритно літав то туди, то сюди, тож Тара ніяк не могла його спіймати!
Метелик підлетів до води, і ведмедиці довелося стати на колоду, яка лежала одним кінцем на березі, а другим — у річці. Але метелик пурхнув ще далі! Тара ненароком штовхнула колоду і... попливла! Метелик кружляв над водою, а ведмедиця пливла за ним, топчучись на колоді й вимахуючи лапами. Вона розлякала всю рибу в річці!
Тара й незчулась, як випливла на середину річки. До берега було далеко, а течія ставала дедалі сильнішою... Що ж робити?

30 Справжній цирк

Спершу Тара не надто переймалася. Усі звірі повибігати на берег, щоб подивитись на таке диво, а ведмедиці подобалось бути в центрі уваги! Тара почала пританцьовувати на колоді й виспівувати:

— Я королева цирку! Я королева цирку!

Колода ж пливла усе швидше, бо за поворотом ріки був водоспад! Сестра Тари Лулу, яка також вибігла на берег, стривожено закричала:

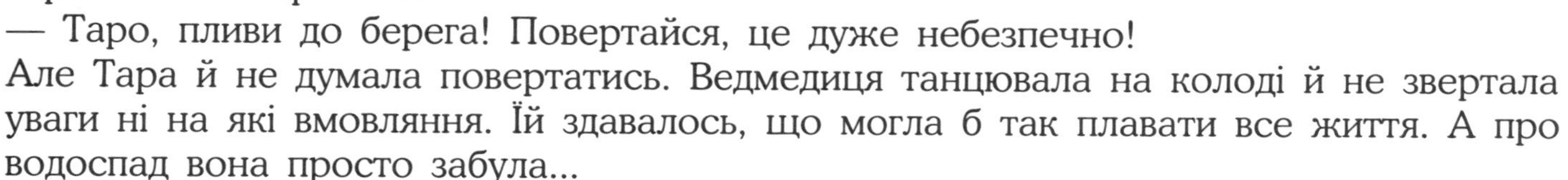

— Таро, пливи до берега! Повертайся, це дуже небезпечно!

Але Тара й не думала повертатись. Ведмедиця танцювала на колоді й не звертала уваги ні на які вмовляння. Їй здавалось, що могла б так плавати все життя. А про водоспад вона просто забула...

Колода пливла так швидко, що навіть Тара звернула на це увагу. Вона занепокоїлась — що б то мало бути? Тепер їй уже було не так весело, як раніше...

31

Тара помітила неподалік великі скелі й пригадала, що попереду — велетенський водоспад! Колись Тара приходила милуватися ним разом із мамою.

Лулу, яка спостерігала за Тарою, знову почала гукати:

— Стрибай на скелі, Таро! Швидше!

Ведмедиця зрозуміла, що треба рятуватися, й спробувала підпливти на колоді ближче до скель. Коли їй це вдалося, Лулу простягнула сестрі лапу й допомогла вибратись на берег.

— Ти нас так налякала! — сказала Лулу. — Навіщо ти туди попливла?

Але трохи згодом вона таки зізналася:

— Таро, ти така смілива! Я б нізащо не наважилась плисти на колоді серед таких бурхливих хвиль! Ти молодець, і я тобою пишаюсь! Але пообіцяй, що більше так не робитимеш!

— Обіцяю! — відповіла Тара.

А потім призналась: — Я й сама злякалась! Це все той метелик — дуже вже мені хотілося його спіймати!

1 Локі і верблюди

Локі, маленька мавпочка, дуже раділа, коли до оази прибували каравани. Їй подобалося спілкуватися з верблюдами.

— А ви надовго сюди? — якось запитала вона у верблюда Армана.

— Ми прийшли, щоб зробити запаси води, — поважно відповів верблюд.

— А де ви зберігаєте цю воду? — не вгавала цікава мавпочка.

— У своїх горбах! — мовив Арман.

— А на кільки часу вам вистачає цих запасів? — допитувалась Локі.

— Їх нам вистачає, щоб перейти пустелю, — сказав верблюд і зробив ще кілька ковтків.

Локі помітила, що його горб помітно збільшився, поки він пив! Невже можна випити так багато води?

— А це важко — мати горба? — запитала Локі.

— Набагато легше, ніж перевозити на собі людей, — відповів верблюд. — А зараз я маю відпочити, бо попереду довгий шлях...

2 Подорож

Наступного дня мавпочка прибігла до Армана із флягою води. Вона пояснила:

— Я взяла з собою воду і хочу подорожувати з тобою!

...Караван все йшов пустелею, і маленька мавпочка дуже втомилась. Вона вже випила всю свою воду, хоч верблюд попереджав її, що так робити не можна.

— Я вже не можу! — жалілася Локі.

Верблюдові також шкода було своєї маленької подружки.

— Мабуть, такі маленькі мавпочки, як ти, не створені для пустелі, — зауважив він.

— Але ж я вже тут, — сказала мавпочка, — і вже пізно повертатися додому!

Нарешті посутеніло, і караван зупинився, щоб трохи перепочити. Локі дали кілька плодів, щоб вона могла втамувати свою спрагу. Вони разом з Арманом сиділи біля вогнища і розповідали одне одному цікаві історії...

Вранці, коли караван знову вирушив у дорогу, він зустрів інший караван, який ішов у напрямку оази.
— Ходімо, Локі, я познайомлю тебе з моїм другом Барнабе! — сказав Арман. Цікава мавпочка, звісно ж, погодилась.
— Барнабе, у мене є до тебе прохання! Ти можеш відвезти Локі назад до оази? — запитав Арман. — Ця подорож для неї небезпечна!
— Звісно ж, залюбки відвезу! — весело відповів Барнабе.
Він посадив мавпочку на спину, й караван рушив далі. Скоро вони прибули до оази. Усі зустрічали Локі як справжню героїню!
— Локі повернулась! Вона побувала в пустелі! — гукали мавпи.
Локі ж відповідала:
— Саме так! А ще в мене тепер є двоє друзів — верблюди Арман і Барнабе! Це вони мене врятували!

4 Яйце Мані

Пінгвіниха Мані знесла гарне округле яйце. Вона ніяк не зважувалась його залишити й пошукати собі їжі. Пінгвін Франк запропонував їй:
— Налови риби для себе й для мене, а я тим часом постережу твоє яйце! Не бійся — воно буде в безпеці!
— Дякую, друже! — розчулено мовила пінгвіниха.
І вона спокійно попливла ловити рибу. А до Франка прийшли його друзі-пінгвіни, щоб разом пограти в футбол.
— Та ні, я не можу! — опирався Франк. — Ви ж бачите — маю стерегти яйце!
— Та ходімо! — умовляв його пінгвін Пол.
Франку дуже хотілося пограти в футбол. І в нього виникла чудова ідея!..
Коли Мані повернулась, то побачила на яйці дивні візерунки. Придивившись, вона розібрала напис: «Не чіпайте цього яйця! Воно чарівне, й тільки Мані може його висиджувати!»

5 Поні в цирку

Поні Жужу бачив, як по телевізору виступала надзвичайно гарна конячка. Вона пританцьовувала і дуже вправно стрибала. Жужу намагався запам'ятати і повторити усі її рухи — він теж хотів бути зіркою!

— Мамо! А ти знаєш, що коні також можуть виступати на сцені? — якось запитав поні у мами.

— Звісно, синку! Твій дядечко Орі працює в цирку! Колись він так гарно танцював! — замріяно мовила мама.

— І я хочу танцювати! — заіржав Жужу. — Я стану зіркою!

За тиждень до села приїхав цирк! Дядечко Орі теж мав бути серед артистів. Жужу одразу ж побіг туди.

— Добридень, дядечку! Я ваш племінник Жужу. І я також хочу танцювати і виступати на сцені! — мовив поні. — Ось погляньте!

І Жужу почав пританцьовувати.

Усі артисти цирку почали йому аплодувати!

— Ти дуже здібний поні! — сказав дядечко Орі. — Сьогодні виступатимеш зі мною! І якщо гарно виступиш, я заберу тебе з собою!

6 Коли у курей виростуть зуби

Новий півень на пташиному дворі дуже пишався своїм дзвінким голосом. Він голосно кукурікав цілісінький день! Але курям це скоро набридло, і вони попросили курку Поллі поговорити з ним. Поллі прийшла до півня і гнівно запитала:

— Коли ти припиниш так голосно кукурікати?! Немає від тебе спокою цілий день!

Але хитрий півень знав, що на це відповісти:

— Я припиню кукурікати, коли у курей виростуть зуби!

— Обіцяєш? — зраділа Поллі.

— Звісно! — відповів задоволений півень. Він-бо знав, що зубів у курей немає і вони ніколи не виростуть.

Але в курки Поллі, єдиної з усіх курей, був один зуб! Його вона й показала півневі!

Півень засмутився і почав збиратися, щоб піти геть із курника, де йому не можна співати.

Однак Поллі пожаліла його й дозволила залишитись.

— Але співатимеш лише тричі на день! — сказала вона.

— Гаразд! — пообіцяв півень. І з того часу співав лише на світанку, в обід і ввечері.

7 Вуха лося Альбана

У молодого лося Альбана виросли роги! Тепер він міг не боятися ніяких ворогів!
Але роги росли якось дивно, і тому вуха Альбана, які були ще м'якенькі, загорнулись на очі. Бідолашний лось майже нічого не бачив!
— Гей, Альбане, купи окуляри! — сміялися лосі. — Або притримуй вуха копитами!
Альбан намагався не звертати на них уваги, але йому було дуже прикро.
Його подружка Тара порадила:
— Ти можеш підв'язати вуха травинками! Тоді вони тобі не заважатимуть!
І вона допомогла другові підв'язати вуха. Лось зрадів:
— Тепер я не тільки все бачу, а й чую набагато краще!
Тепер ніхто не сміявся над ним. А старші лосі пояснили, що з часом, коли Альбана стане дорослішим, його вуха самі повернуться на своє місце і не звисатимуть. Таке часто трапляється з молодими лосями!
Довелося Альбанові деякий час походити із підв'язаними вухами. А його подруга Тара завжди була поруч!

8 Індик захворів

Вранці індик Дені вийшов у двір, щоб поклювати зернят.
— Буль-буль! — привіталася до нього індичка Гудула.
— Б-б-б! — прошипів індик. Він не міг сказати ні слова! Дені спробував поїсти зернят, але у нього дуже боліло горло.
Засмучений, він повернувся додому...
Коли він не вийшов обідати, Гудула зрозуміла, що її друг захворів. Вона зайшла його провідати. Дені лежав у ліжку й стогнав. Він був такий хворий!
— Та в тебе, мабуть, ангіна! І температура висока! — стривожено вигукнула Гудула. — Я покличу лікаря Півня!
Дені навіть відповісти не зміг, так боліло горло.
Гудула привела лікаря, і він оглянув індика.
— Певно, ти напився надто холодної води, — сказав лікар Півень. — Я випишу тобі ліки від ангіни.
Дені почав пити ліки, до того ж Гудула заварила для нього цілющої трави. І вже через день він голосно вітався зі своєю подружкою:
— Буль-буль-буль!

9 Чий тато кращий

Двоє маленьких оленят вихвалялися один перед одним своїми татусями.
— Мій тато сильніший за твого, — сказав Петті, — бо в нього більші й міцніші роги! Найбільші серед усіх оленів!
— А мій тато швидший і спритніший! Бачив би ти, як він бігає! — не здавався Діді.
Раптом вони почули, як хтось кличе на допомогу.
— То мій татусь! — вигукнув Петті.
— Біжімо швидше, поглянемо, що сталося! — крикнув Діді і помчав туди, звідки чувся голос. Петті не відставав від нього ні на крок.
Тато-олень заплутався своїми великими рогами в колючому куці!
Він ніяк не міг звільнитися!
Діді побіг за своїм татом, щоб той допоміг.
— Швидше, тату! Ти зможеш йому допомогти! — просив Діді.
— Але ж він такий великий! Та й роги в нього більші за мої! — засумнівався олень.
— Все одно треба виручати тата Петті! Біжімо, може, тобі це вдасться.
І вони побігли до колючого куща.

10 Порятунок

Вони прибігли до місця, де росли чагарники й колючі кущі. Тато Петті намагався звільнитись, але в нього нічого не виходило. Він тільки ще більше заплутався.
— Нарешті! — радісно вигукнув Петті. — Вас так довго не було, а я не знав, що робити...
А його тато запитав:
— Як же ви мені допоможете?
Тато Діді запропонував:
— Мабуть, зробимо так. Я буду розсовувати гілки куща своїми рогами, а ти потроху вивільняй свої.
І тато Діді допоміг татові Петті звільнитись!
— Дякую тобі, — сказав розчулений олень. — Чим я можу тобі віддячити?
— У тебе великі й міцні роги, тож натруси нам, будь ласка, з дерева яблук!
Тато Петті легко натрусив цілу купу плодів, і всі олені з задоволенням поїли.
По дорозі додому оленята знову говорили про своїх татусів.
— Щоб натрусити яблук, треба мати великі й міцні роги! — сказав Петті.
— Так, але іноді маленькі роги можуть врятувати чиєсь життя, — додав Діді.

11 Поштовий голуб

Зазвичай голубка Пет прокидалася раніше за всіх голубів. Але одного ранку вона вилетіла із гніздечка й побачила, що голуб Піт вже вмивається біля калюжі й чистить своє пір'ячко.

— Ти так рано прокинувся, — здивувалась Пет. — Що сталось?

— Я влаштувався на роботу! — похвалився Піт. — Тепер я — поштовий голуб!

— І що ж ти робитимеш? — допитувалась голубка.

— Поштові голуби розносять різні повідомлення, — пояснив Піт. — Це можуть бути записки — їх прив'язують до лапки голуба і він летить за вказаною адресою. Або ж можна просто передати щось на словах. Наприклад, сьогодні мені треба полетіти в сусіднє місто і попередити всіх птахів, що наближається буря.

Пет була в захваті. Який молодець її друг Піт! Тепер буря не застане птахів зненацька — а все завдяки поштовому голубу!

12 Атракціон хом'яка Піквіка

У хом'ячка Піквіка було чудове колесо! Він цілісінькі дні бігав всередині, а колесо швидко крутилось. Та коли Піквік постарів, йому стало важко весь час бігати. Він вирішив, що такі заняття спортом йому вже не під силу — досить буде робити зарядку тільки вранці!

Потім хом'як почав думати, що ж робити з колесом — не буде ж воно просто так стояти без діла у клітці! Він довго міркував і нарешті вирішив зробити з колеса атракціон!

— Я пускатиму мишок побігати в колесі, — сказав собі Піквік, — і братиму з них за це кілька насінин соняшника! І мені добре, і мишки будуть задоволені!

І наступного ж дня на клітці Піквіка з'явилося оголошення: «На колесі можна покататися за 10 зернин соняшника!»

Перед кліткою Піквіка вишикувалась ціла черга! Мишки каталися на його колесі й аж пищали від задоволення. А хом'ячок зібрав цілу торбинку соняшникового насіння!

13 Мишки Лілі і Лола

— Мабуть, гарно кататися на такому колесі! — говорили мишки Лілі і Лола. Вони тільки дивилися на розвагу, бо не мали насіння, щоб заплатити за атракціон.
— Ой, як хочеться покататися хоч разочок! — ледь не плакала Лілі.
— Еге ж, дуже хочеться, — зітхала Лола.
Хом'як Піквік почув це і запропонував:
— Приходьте ввечері, коли всі мишки розійдуться, і я пущу вас покататися просто так.
Лілі і Лола прийшли до клітки ввечері, й Піквік дозволив їм кататися скільки завгодно.
Мишки так накаталися, що аж у голові у них паморочилось.
— Дякуємо, пане Піквіку, ви такий добрий, — ввічливо сказали вони. — Ви знаєте, що в нас немає насіння, щоб заплатити вам за атракціон. Але ми принесли для вас подарунок!
І мишки простягнути хом'яку маленьку пухнасту пір'їнку:
— Візьміть, пане Піквіку, і вам буде м'яко спати.
З того часу мишки часто приходили до старого хом'яка, а він щоразу пускав їх покататись на колесі й не брав плату, навіть коли у мишок було насіння.

14 Папуга Коко

Коко був надзвичайно розумним папугою! До того ж він дуже гарно говорив і швидко запам'ятовував слова.
Частенько вранці Коко сидів на вікні й повторював:
— Гарна погода! Гарна погода! Мені подобається!
Одного разу папуга почув розмову двох чоловіків, які стояли на вулиці, поблизу вікна.
— Цієї ночі проберемось у будинок! — домовлялися вони. — Тут є дуже цінні картини. Ми їх заберемо, а потім продамо.
Коко вухам своїм не повірив. Це були злодії! Вони хотіли пограбувати його господарів!
— Заберемо картини! Заберемо картини! — без упину повторював він.
Господарям набридло це слухати, і вони почали вмовляти Коко:
— Припини говорити дурниці! І де ти тільки таке почув?! Якщо хтось захоче забрати наші картини, його затримає поліція!

Вночі до будинку справді забралися злодії, щоб викрасти картини!
Але Коко добре підготувався. Він голосно закричав:
— Поліція! Поліція! Поліція!
Злодії одразу ж накивали п'ятами. А Коко дуже пишався собою!

15 Корівки хочуть спати

Корівки Бетіна і Коліна роздратовано тупали копитцями. Їм набридло так рано вставати — о шостій ранку! Куди ж це годиться?

— Ми згодні давати молоко, але ж не так рано! — мукали вони. — Хочемо виспатись! Можемо ми хоч один день поспати на дві години довше?!

Їхні подруги також не хотіли щодня прокидатися на світанку. Тому одного разу Бетіна попросила своїх знайомих мишок Мілі й Нілі:

— Чи не могли б ви зайти в дім і перевести годинник на дві години назад? Ви такі маленькі, що вас ніхто й не помітить. А ми один раз поспимо довше.

— Гаразд! — сказали мишки й побігли до будинку.

Ввечері Бетіна, Коліна та їхні подруги спокійно полягали спати. Вони дуже тішились тим, що завтра не треба буде рано вставати.

Але наступного дня вони знову прокинулись на світанку! Аж підстрибнули!

— Кукуріку! — горланив півень Роко.

— Ну от! — сказала Коліна. — Ми забули попередити Роко! А він звик кукурікати о шостій...

16 Киця Мурка

Кап! Кап! Кап! Кап!

— Яка жахлива погода, — бурчав старий Франсуа. — Такий дощ, та ще й вітер! Ще дах із хати зірве!

Його киця Мурка сиділа біля печі й думала:

— Дивний хазяїн у мене: всього боїться — і дощу, і вітру... Як так можна?

— Няв! Ня-я-я-яв! — почула вона. То друзі кликали її на вулицю гратися. Киця визирнула у вікно, а потім підбігла до Франсуа і почала до нього лащитись, щоб він випустив її погуляти надвір.

— Ні, люба Мурочко! Надворі такий дощ, посидь краще вдома! — сказав Франсуа.

Мурка образилась на господаря. Вона не боялась дощу і не хотіла сидіти вдома!

Тож коли старий Франсуа ліг спати, киця тихцем прокралася на дах і покликала друзів:

— Нумо на горище — тут значно краще!

Згодом Мурка з друзями бавилась на теплому горищі, та й господарю чомусь було зовсім не до сну...

17 Цуценя Лу

Одного разу дівчинка Ліна знайшла біля паркану гарненьке цуценя, яке жалібно скавчало.

— Ходи до мене, маля! — лагідно покликала вона. — Я пригощу тебе смачним молоком!

Цуценя попило молока, трохи погралося з Ліною, але потім знову почало скавчати! Та так жалібно, що аж серце краялось!

— Мабуть, воно загубилось і хоче до мами, — сказав Лінин тато. — Треба знайти його господарів!

Але Ліна так хотіла, щоб цуценя залишилося з нею! Вона вже встигла полюбити його...

Раптом у двері хтось подзвонив. На порозі стояли чоловік і жінка, а з ними — велика собака.

— Добридень! — привіталася жінка. — Ми ваші нові сусіди. Наше цуценя Лу загубилося. Ми подумали, що воно могло піти до вас...

— Гав! Гав! — і маля радісно побігло до своєї мами! Вона одразу ж почала його ніжно облизувати!

Сусіди познайомилися з Ліною та її татом, попили чаю з пирогом і вирішили, що коли Лу трохи підросте, Ліна зможе його забрати!

18 Слоник Поло

Слониха Тру збирала слоненят на прогулянку.

— Діти! Станьте в рядок і візьміть один одного хоботами за хвостики. Так ніхто не загубиться!

Слоненята зробили так, як веліла вихователька. Всі, крім слоника Поло!

— Не чіпай мене! — сказав він слонику, який стояв позаду. — Не бери мене за хвостик! Мені лоскотно!

Тру зітхнула. Вона зрозуміла, що слоненя просто вередує.

— Тоді йди поряд зі мною, — запропонувала вона.

Поло був щасливий! Адже він ішов разом із вихователькою, а не в рядок, як усі! Однак біля озера Тру сказала:

— Всі йдуть купатися, крім Поло!

— А чому мені не можна? — розгублено запитав слоник.

— Ти ж не хочеш робити так, як усі, — сказала Тру. — Значить, коли всі йдуть купатись, ти лишаєшся на березі.

Більше Поло не вередував!

19 Оса і бджоли

Оса Меллі дуже любила мед. Але вона не вміла його робити! Тож Меллі вирішила пробратися у вулик до бджілок у поцупити в них рецепт приготування меду.
Вона взяли парфуми, які пахли точнісінько так, як бджоли, побризкалась ними і полетіла до вулика.
— Доброго дня! — привіталась вона із бджолами-охоронцями.
Меллі пахла, як бджола, тому охоронці пропустили її у вулик.
Вона швиденько полетіла до книги, де був записаний рецепт приготування меду, і почала його переписувати. Але Меллі писала дуже повільно, і скоро її парфуми почали вивітрюватися...
— Злодійка! — закричали бджоли і оточили її. — Ти хотіла вкрасти наш рецепт! За це ти маєш прибрати весь наш вулик.
І довелося Меллі підмітати, мити, чистити... Але бджоли не були злопам'ятними.
— Іди-но, скуштуй меду! — запропонували вони, коли Меллі закінчила роботу. — І наступного разу, коли захочеш ним поласувати, просто попроси — і ми тебе пригостимо!

Якось шимпанзе Лоран вирішив причепуритися. Для початку він надумався поголитись.
— Звісно, це займе багато часу, але який я буду гарний! — розмірковував він. — І блохи не дратуватимуть! І влітку жарко не буде!
Але до літа ще далеко, і Лоран одразу змерз. Він аж посинів від холоду!
— Гляньте, лисий шимпанзе! — почали глузувати з нього мавпи. — Ти схожий на велетенське курча без пір'я! — сміялися вони. — Подивись, та в тебе шкіра, як у гуски!
Лоран зрозумів, що зробив дурницю. Адже шерсть справді зігрівала його!
— Що ж мені робити! — плакав він. — Тепер треба чекати, поки шерсть відросте...
Мавпи пожаліли Лорана і вирішили взяти для нього костюм у театрі. Але там лишився лише скафандр, решта костюмів були потрібні акторам для виступів! Тож Лоран усю зиму проходив у скафандрі, як космонавт.

21 Ласун Као

Маленький коала Као дуже любив солодке. Він постійно просив маму, щоб вона купила йому цукерок чи тістечок.

— Який же ти ласун! — говорила мама. — Звісно, одна цукерка не завдасть тобі школи, але від надміру солодкого псуються зубки! До того ж ми, коали, завжди їмо тільки листя евкаліпту! Це набагато корисніше.

— Але я хочу тістечок! — не вгавав Као.

— Гаразд, але якщо в тебе заболять зубки, доведеться йти до лікаря! — попередила мама-коала.

— То й що! — відповів Као. — Не боюсь я лікаря!

Маленький коала наївся солодощів в нього таки заболіли зубки!

— Мамо, мені боляче! — пхинькав Као.

— Що ж, тепер треба йти до лікаря! — сказала мама.

Лікар вилікував зубки Као. Йому не було боляче, та все ж неприємно і дуже страшно!

З того часу коала перестав їсти солодке.

— Правильно, синку! — хвалила його мама. — Краще їж корисні листочки, і завжди будеш здоровий.

22 Міст із китів

Тюлень Тіт прибіг до мами й закричав:

— Я бачив, як білий ведмедик Нано впав із крижини!

Мама-тюлениха не любила білих ведмедів — вони часто кривдили тюленів. Але вирішила, що не можна залишати Нано в біді. Адже він міг загинути!

— Треба попросити наших друзів-китів, щоб вони допомогли Нано, — сказала вона.

Тіт із мамою чимдуж поспішили до китів. Коли ті почули, яке лихо сталося з ведмедиком, одразу кинулись його рятувати.

Крижина, з якої впав Нано, була досить далеко від берега, тому він не наважувався відпустити кригу і пливти. Вибратись на крижину він також не міг, бо крихкий лід ламався під його лапами. Нано тримався з останніх сил і тільки стогнав.

— Нічого не бійся! Зараз ми утворимо міст, а ти пройдеш по ньому до берега! — сказали кити.

Вони стали в рядок, і Нано легко пройшов по їхніх спинах до берега!

Ведмедик подякував китам, а тюленям пообіцяв, що ніколи не буде їх кривдити.

23 Ляклива Пупа

Із Пупою ніхто не хотів гратися! Всі спрути випускають чорнило, коли чогось лякаються, а Пупа була надзвичайна боягузка! Не дивно, що всі її друзі постійно були вимазані чорнилом.
Пупа боялась голосних звуків, різких рухів, вона лякалась, коли хтось із жителів моря раптово випливав зі своєї схованки. Тому з нею не можна було гратися ні в хованки, ні в квача.
— Це просто неможливо! — говорили спрути. — Вона щомиті лякається!
Друзі хотіли поговорити з Пупою й переконати її, що не треба всього так боятись, але вийшло ще гірше. Тепер вона лякалась навіть тоді, коли хтось просто починав з нею говорити. І, звісно, відразу випускала чорнило.
— Я знаю, що треба робити! — придумав спрут Карло. — Давайте напишемо Пупі листа! Вона зрозуміє, що ми її любимо і хочемо їй допомогти!

24 Лист

Ідея Карло всім сподобалась. Зібравши у баночку чорнило, яке залишалося після Пупи, спрути написали їй чудового листа:
«Пупо, ти дуже мила і гарна! Ми всі тебе любимо! Але постарайся не бути такою лякливою. Твої друзі».

Спрути поклали лист біля скелі, де жила Пупа. Коли вона його знайшла і прочитала, то ледь не заплакала — так розчулилась! І вирішила, що не буде більше такою боягузкою, щоб не засмучувати своїх друзів. Звісно, це їй не одразу вдалося, але з часом вона перестала всього боятись! Тепер спрути весело гралися разом.
Лист, який їй написали друзі, Пупа зберегла і щоразу перечитувала.
І якось запропонувала:
— А давайте будемо записувати все-все, що з нами відбувається! Всі наші пригоди!
Спрути погодилися з нею, і незабаром у них з'явилась перша підводна бібліотека...

25 Кенгуру хоче на волю

Кенгуру Кенго, що жив у зоопарку, вирішив утекти в ліс.
— Мені набридло сидіти у вольєрі! — сказав він собі. — Я хочу на волю! Хочу пострибати між деревами, назбирати квітів...
І він придумав план втечі. Одного разу, коли охоронця зоопарку не було поблизу, Кенго вистрибнув із вольєра і чимдуж помчав до лісу! Ніхто не встиг і помітити, як це сталось!
Але коли Кенго нагулявся між дерев, назбирав квітів і поїв горішків, йому стало сумно.
— Я тут нікого не знаю! — зажурився він. — Всі чужі... Навіть поговорити ні з ким! Нудьга...
І він вирішив повернутися до зоопарку. Однак Кенго побоювався, що йому перепаде за втечу! Тож він набрав горіхів і ягід, і коли повернувся, то пригостив ними охоронця.
Більше Кенго не хотів тікати з зоопарку — тут у нього стільки друзів!

26 У гості до Діда Мороза

Незадовго до Нового року на пташиному дворі піднявся шум.
— Ми не хочемо, щоб нас на свято подавали на стіл! — крякали качки.
— Ми теж не хочемо! — ґелґотали гуси.
— І ми! — гукали індички. — Годі! Цього року жодна з нас не потрапить на святковий стіл!
— Давайте вирушимо у новорічну подорож! — запропонувала качка.
— Але куди ми поїдемо? — запитали гуси.
— Ми будемо допомагати Дідові Морозу на Північному полюсі!
— Чудово! — захоплено закричали всі птахи. — Але ж це так далеко! Нам доведеться пробратися на літак, що відносить Дідові Морозу листи від діток!
Сказано — зроблено! І весь пташиний двір вирушив далеко-далеко.
Дід Мороз дуже зрадів, що до нього прибуло стільки помічників. Качки наклеювали марки, гуси загортали подарунки в кольоровий папір, а індики прив'язували до подарунків стрічки.
— Нам було так добре! — говорили вони, коли довелося після свят повертатися додому. — Ми обов'язково прилетимо ще!

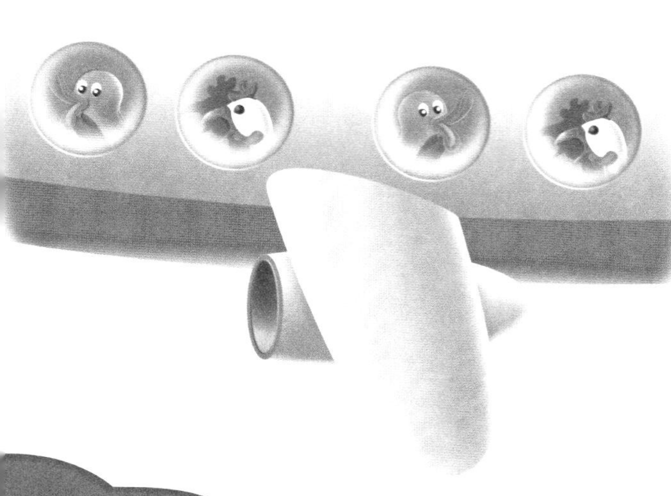

27 Рятувальник Валі

Величезний собака Валі працював рятувальником. Якщо хтось тонув у річці, Валі вмить витягав його з води. Але він не знав, що дехто все ж таки вміє гарно плавати!

Одного разу качка спокійнісінько плавала і пірнала, аж раптом Валі стрибнув у воду і витягнув її на берег! Качка дуже розсердилась, вдарила його крилом і полетіла геть. А друзі Валі спробували пояснити йому, що качок не треба рятувати — адже вони чудово плавають!

Наступного разу Валі ходив біля води й побачив під водою рибину. Він вирішив, що її треба врятувати і чимдуж стрибнув у воду. Упіймав рибу і виніс її на берег!

— Та ж риби живуть у воді! — пояснювали йому друзі. — Тому ніколи не винось їх на берег! Треба рятувати лише тих, хто не вміє плавати!

На день народження друзі подарували Валі книгу із назвою «Довідник рятувальника». Тепер він точно знав, кого має рятувати, і чудово виконував свою роботу!

28 Ура!

Жили собі двоє мишенят — Сіп і Зіп. Сіп дуже любив кричати «ура!». Але кричав так голосно, що його друг Зіп аж підстрибував від несподіванки. Він попередив Сіпа:

— Сіпе, краще не кричи так голосно, бо прилетить сова і схопить нас! Тоді буде не до сміху!

— Ура! — знову вереснув Сіп. — Я не боюся сови!

Зіп знову підстрибнув з переляку.

Тим часом на дереві сиділа сова Колет і спостерігала за мишенятами.

— Які гарненькі мишки! І такі веселі — аж підстрибують! Треба з ними познайомитись!

І вона полетіла вниз.

— Сова! — перелякався Зіп, побачивши очі Колет у темряві.

— Ти просто хочеш мене налякати, — не повірив Сіп.

— Та ні, вона справді сюди летить! — прошепотів Зіп.

Колет сіла біля мишенят, які тремтіли від страху.

— Не бійтесь, я вас не з'їм! Я побачила, як ви тут весело стрибаєте, і вирішила з вами познайомитись.

— Ура!!! — закричав Сіп.

І Зіп, і сова аж підстрибнули... Сіп був невиправний!

29 Свинка Розі

Свинка Розі була дуже охайною. Їй не подобалось, коли хтось казав «брудний, як свиня»... Одного разу вона, чистенька й рожева, вийшла прогулятися. Але не помітила поросят Порні і Парні, які каталися на самокаті!
— Обережно! — гукнув Порні.
— Та ні, вже пізно, — озвався Парні.
Вони проїхались просто по калюжі й забризкали Розі брудом з ніг до голови!
— Що ви наробили! — ледь не плакала Розі. — Тепер я брудна!
— Вибач, Розі, ми не хотіли! — сказали поросята. — Просто ми тебе одразу не помітили, а потім не встигли об'їхати калюжу...
— Але ти все одно дуже гарна! — вигукнув Порні. — Найкраща свинка у світі!
Розі засоромилась і сказала:
— Гаразд, я не буду на вас ображатись! Ви ж зробили це не навмисно! А трохи бруду мені не завадить — адже я свинка!

30 Маленьке ягнятко

— Бе-е-е-е! — плакало ягнятко. — Де моя мама?
— Не плач, синку, — вмовляв його тато-баран. — Ти хочеш їсти?
— Так! Я пив уранці мамине молоко, а тепер знову хочу!
— Мама, мабуть, зайнята, — мовив баран. — Може, з'їси щось інше?
— А що я можу з'їсти? Я нічого, крім маминого молока, не куштував! — відповіло ягня.
— Поїж трави — і виростеш таким великим, як я! — запропонував тато.
— А в мене виростуть міцні роги, якщо я їстиму траву? — запитало ягня.
— Звісно, виростуть!
У цей час додому повернулася мама.
Ягня кинулось до неї:
— Мамо, мамо! Я тепер дорослий і їстиму траву! Мені вже не потрібне молоко! Я їстиму траву, і в мене виростуть роги!
— Гаразд, синку, але якщо передумаєш, приходь до мене на луку!
Згодом ягня прибігло до неї:
— Мамо, я вже не хочу трави! Вона не смачна! Можна, я питиму твоє молоко? Воно найсмачніше у світі! А траву я їстиму, коли трохи підросту!

1 Сміх кита

— Ох-хо-хо! Ха-ха-ха! — реготав кит. Коли кит Балі отак сміявся, його неможливо було зупинити!
Він широко роззявляв свого величезного рота, а з отвору на тім'ї бив сильний фонтан води.
Балі сміявся, а рибам тим часом було геть не до сміху. Їм набридли постійні бурі, які здіймалися на морі через кита.
І от одного разу роздратований дельфін схопив корок і заткнув дірку, крізь яку кит вибризкував фонтан.
Але це лише насмішило Балі. Він надувався, надувався, як велетенський м'яч, наповнений водою! Раптом корок вилетів, — і з отвору полилося стільки води, що Балі аж у повітря піднявся! А коли хлюпнувся у воду, то знову підняв величезні хвилі, бо ж був чималенький.
Балі вже й забув про цю пригоду, а риби все її згадували і сміялися!

2 Малий Пінгві

Пінгвіни цілий день чепурились — до них мав прибути сам король пінгвінів — Педро. Всі хотіли мати якнайкращий вигляд, щоб не осоромитись. Пінгвіни до блиску начищали пір'я, дзьоби і лапи.
Пінгві був ще зовсім маленький, тому його тіло було вкрите не пір'ям, а пухом. До того ж він був сірий! Пінгві дуже цим переймався! «Коли король побачить цей сірий пух, він подумає, що я бруднуля!» — думав він.
— Мамо, чому у всіх пінгвінів пір'я, а в мене пух, та ще й сірий? — жалібно запитав Пінгві.

— Просто ти ще маленький, — відповіла мама. — Твій пух захищає тебе від холоду. А те, що він сірий... Знаєш, кажуть, що це улюблений колір короля Педро — він має сіру мантію!

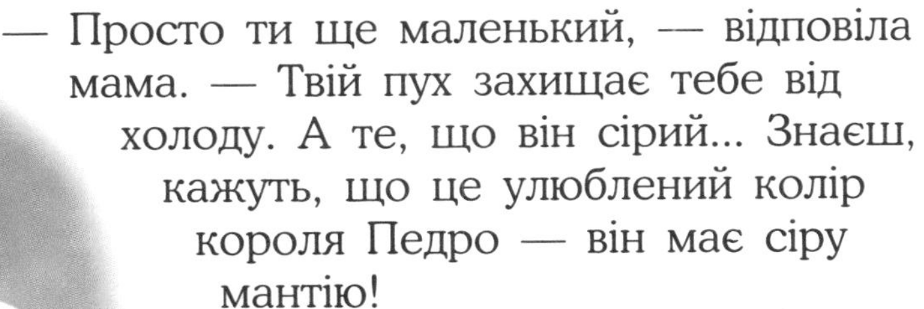

Раптом Пінгві почав натирати себе снігом!
— Що ти робиш? — здивувалось мама.
— Я фарбую пух у білий колір, — відповів упертий Пінгві.

3 Королівська мантія

Але сніг швидко розтанув, і Пінгві знову став сірим. Крім того, тепер він був ще й мокрий! Нарешті прибув король, і всі пінгвіни вишикувалися на крижині. Вони стояли рівненько, задерши дзьобики. Пінгві поглянув на короля Педро і здивувався — у нього дійсно була сіра мантія! Ото дивина!
Коли король порівнявся з Пінгві, той не втримався і чхнув. Все-таки він застудився! Йому було так соромно, що він боявся навіть дивитися на короля...

А король зняв свою мантію і накинув її на плечі пінгвінчика.
— Ти ж зовсім мокрий, — сказав він. — Одягнись, а то захворієш!
Коли король поїхав, пінгвіни розійшлися по домівках.
Мама-пінгвіниха одразу заходилась лікувати свого сина.
А Пінгві в захваті повторював:
— Мамо, у короля сіра мантія! Виявляється, ми з ним схожі!

4 Віслюк, який хотів стати куркою

Віслюк Стефан дуже хотів стати куркою. Він часто забігав у курник — подивитись, як живеться курям. Але ті щоразу лякались і тому сердились на Стефана. Одного разу руда курка Пілар сказала йому:
— Та годі вже до нас бігати! Ти ніколи не станеш куркою! Де ти бачив, щоб віслюки несли яйця?
Усі кури розсміялися, коли це почули. А Стефан понуро поплентався до стайні...

Ввечері в курнику піднявся переполох. Почувши шум і галас, віслюк чимдуж побіг туди. До курника проліз лис! Кури перелякано метушилися й тікали від нього. Стефан щосили копнув лиса копитом!
— Ой-ой! — зверeснув лис і кинувся тікати.
Кури були дуже вдячні Стефану.
— Тобі не треба бути куркою, щоб стати нашим другом, — приязно сказали вони йому. — Можеш приходити до нас у гості, коли тобі заманеться! Ти врятував нам життя!

5 Мишка і кішка

Одного разу в родині сірих мишей народилася біла мишка, яку назвали Лілі.

Брати і сестри Лілі трималися від неї трохи осторонь, бо вона була не схожа на них. Іноді мишенята навіть сміялися з Лілі. Але коли вони трохи підросли, то почали гратися всі разом і разом ходили на пошуки їжі.

Миші жили в будинку, де завжди було багато смачного сиру. Тому в мишачій нірці постійно були чималі запаси. Та одного разу запаси скінчилися, і довелося виходити з нірки, щоб поповнити їх.

Коли мишки вийшли, то побачили білу кішку, яка сиділа просто біля їхньої нірки і, здавалось, чекала на них! Який жах!

Лілі здивувалась більше за всіх, адже киця була білою, як і вона! Лілі зачаровано дивилася на кішку, вона навіть забула, що треба тікати...

6 Подружки

Кішка Міка також здивовано дивилась на мишку.

Тим часом інші миші цим скористалися і накивали п'ятами, залишивши Лілі на поталу кішці. Але та, здавалось, і не думала нападати на мишку. Вона міркувала над тим, як це шерсть киці і мишки може бути такою схожою!

— Я ще ніколи не бачила таких білих мишей! — сказала нарешті киця.

— А я не бачила таких білісіньких кішок! — відповіла Лілі.

— Так довго доводиться вилизувати цю білу шерсть, — пожалілася мишці киця.

— Та й мені також, — відповіла мишка.

Вони довго приязно розмовляли. Лілі розповіла Міці кілька веселих історій, які з нею колись траплялись. Міка теж згадала кілька цікавих епізодів зі свого життя. Нечувано — киця і мишка стали справжніми подругами!

Інші ж миші тепер поважали Лілі — адже вона товаришувала із самою Мікою!

7 Лола і Пулі

Бобриха Лола жила на березі річки. Однієї зими було дуже холодно, і Лола застудилась. Довелося їй пити ліки та відвар із трав. А мама забороняла їй навіть із нірки виходити!

Та якось до Лоли прийшов її друг — бобер Пулі. Він хотів показати їй, яку загату збудував на річці.

— Я не можу підходити до води, — засмучено мовила Лола. — Хворію, тож треба сидіти вдома.

— Ти й не будеш заходити в воду! — сказав бобер. — Просто постоїш на загаті — вона дуже міцна!

Лола погодилась, і бобри разом пішли до річки. Пулі вирішив трохи розважити Лолу і стрибнув на загату. Він почав весело витанцьовувати на ній, аж раптом щось хруснуло, і загата проламалась. Пулі полетів у холодну воду!

8 План загати

Коли Пулі вибрався на берег із води, то аж тремтів від холоду!

Лола спершу злякалась, а тоді почала сміятись:

— Ти, мабуть, єдиний бобер, який не може збудувати міцну загату!

Але тепер вже Пулі захворів. Купання у крижаній воді далося взнаки. Коли наступного дня Лола прийшла до хатки Пулі, щоб провідати друга, він лежав у ліжку. В нього був нежить і боліло горло.

— Я сьогодні не можу йти гуляти! — хрипко сказав Пулі.

— Я й не збиралась тебе кликати на вулицю, — відповіла Лола. — Поглянь, я принесла папір і олівці. Ми удвох намалюємо план твоєї нової міцної загати! Коли ти одужаєш, то зможеш її збудувати!

За кілька днів Пулі прийшов до річки й розгорнув готовий план.

— Що ж, до роботи! Тепер я збудую справді міцну загату!

9 Північний олень

Північний олень Рурі, який жив у Лапландії, мріяв подорожувати по світу. Якось він сказав своєму другові — байбакові Мане:

— Я б так хотів подивитися на ті краї, де ніколи не йде сніг, де завжди тепло, а земля вкрита травичкою...

— Я знаю того, хто міг би тобі допомогти! — відповів Мане. — Це Дід Мороз! Щороку він обирає шістьох оленів, які мають везти його сани. Вони мчать по небу! А Дід Мороз їздить по всьому світу і роздає подарунки дітям!

— Справді? — здивувався Рурі. — Але де я можу знайти Діда Мороза?

— Та це ж дуже просто, — сказав Мане. — Ти маєш просто написати йому листа!

Олень Рурі швидко схопив папір і ручку й почав писати листа чарівному дідусю. А через деякий час він отримав відповідь — Дід Мороз погодився взяти його з собою.

10 Рурі повернувся!

Минув місяць, і олень Рурі повернувся додому. Він одразу ж побіг до свого друга Мане, щоб усе йому розповісти.

— Це було чудово! — вигукував він. — Ми мчали в повітрі й бачили під нами всю землю! Виявляється, земля кругла, а не пласка! У багатьох країнах, де ми були, зовсім не було снігу, а в Африці було так жарко, що ми ледве витримували!

— Мабуть, тобі не хотілося повертатися в Лапландію, адже подорожувати так цікаво? — запитав Мане.

— Не скажи, друже! — заперечив Рурі. — Я зрозумів, що найбільше люблю наш білий сніг. І дивися, що я тобі привіз у подарунок!

— Лижі! — захоплено вигукнув байбак.

Мане став на лижі, вхопився за друга, і той почав катати його по снігу!

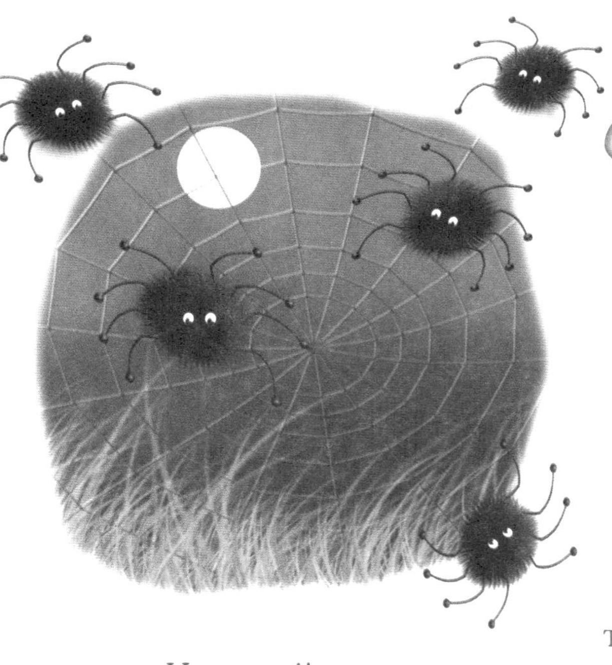

11 Конкурс для павучків

Павучки готувалися до конкурсу на кращу павутинку. Але для цього треба було обрати зручний час! І от нарешті головна павучиха Спіруна сказала:
— Сьогодні має бути повний місяць. Починайте ткати свої павутинки. Опівночі на них впаде місячне світло, і їх буде гарно видно — тоді й вирішимо, чия павутина найкраща!
Кожен павук обрав для себе зручне місце й почав плести. Але Твігі все вагалася. Конкурс — це ж так важливо! Треба вибрати й справді гарне місце!
— Нарешті! — вигукнула вона. — Я знайшла те, що треба!
І Твігі почала швидко ткати свою гарненьку павутинку на гілці ялини біля будинку.
Вона ткала дуже майстерно!
Нарешті настала ніч, і всі павуки зібралися, щоб дізнатися, хто ж стане переможцем конкурсу «Місячна павутинка».
Вони перемовлялися і весело сміялись. А ще трохи хвилювалися — адже кожен хотів перемогти!

12 Хто ж переміг?

Повний місяць осяяв павутинки.
Перша з них викликала загальне захоплення.
— О-о-о! — вигукнули павуки. — Яка ж вона гарна!
Павуки переходили від однієї павутинки до іншої й аплодували всім учасникам конкурсу.
Всі павутинки були надзвичайно гарні! Твігі дуже хвилювалась — її павутинка була останньою...
— То що, де там павутинка Твігі? — запитала Спіруна.
— Вона сплела її на ялинці! — показали павуки.
Раптом місяць затулила хмара.
— Який жах! — ледь не плакала Твігі. — Мені, як завжди, не пощастило!
Вона засмучено сіла на гілці й похилила голову.
Але раптом почула крики й оплески! Твігі повернула голову і побачила, що місячне проміння впало на її павутинку.
— Яка гарна! — захоплювались павуки. — Як майстерно сплетена!
І Твігі визнали кращою майстринею лісу!

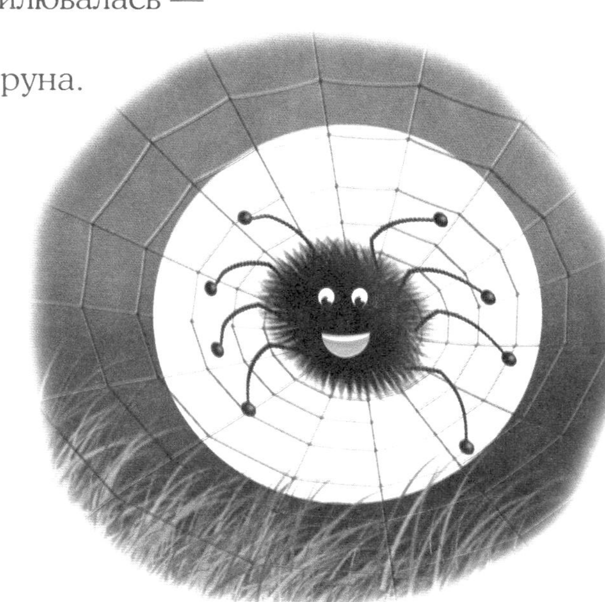

13 Салон краси

Одного разу черепаха Жако вирішила відкрити салон краси для черепах, де можна було б змінити колір панцира.
Черепахи вишикувалися в чергу — всім дуже хотілося змінитися і стати гарними!
— Я хочу мати жовтий панцир у зелений горошок! — гукнула черепаха Гудула.
— А я хочу, щоб мій панцир покривали пір'їни! — сказала Ірма.
Жако дуже втомлювалась, адже всі черепахи були дуже вередливими! Одного разу, коли вона вже закривала салон, до неї підповз друг Гедеон.
Він запитав:
— А як же ти, Жако? Чому ти не зміниш колір свого панцира?
— Я? Та в мене й часу немає! Тим паче, я навіть не бачу його!
— А я бачу твій панцир! І мені здається, що він — найкращий у світі! Тобі зовсім не треба його перефарбовувати!
Жако аж почервоніла, так вона засоромилась. А Гедеон запросив її на прогулянку, й вони удвох довго гуляли й ласували смачним салатом.

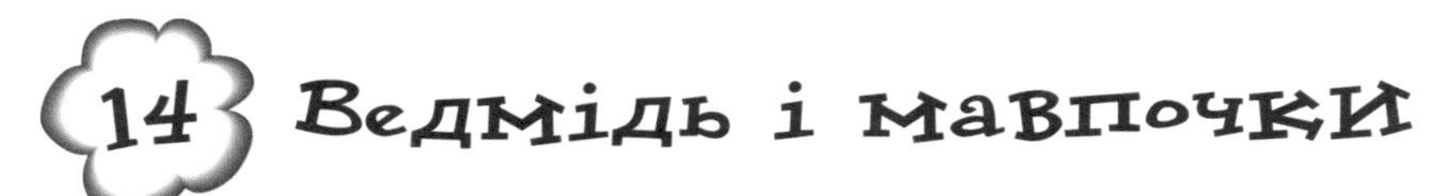

Ведмідь Мас жив біля річки. Йому подобалось сидіти на бережку, милуватися краєвидами і ласувати солодким медком. Але маленькі мавпочки не давали йому спокою. Вони з розгону стрибали в річку і здіймали такі бризки, що ведмідь вмить ставав мокрий з голови до ніг!
— Негайно припиніть! — гнівався ведмідь. — Ось я намну вам вуха!
— От і ні! От і ні! — дражнились мавпочки. — І нічого ти нам не зробиш!
І вони продовжували стрибати у воду і обливати ведмедя. Нарешті Мас не витримав. Він встав і щосили заревів, аж гори здригнулися! І з них покотилася снігова лавина!
Сніг засипав усе довкола. Берег річки теж став білим і дуже гарним.
Ведмідь думав, що тепер мавпочки злякаються і втечуть, але вони, побачивши стільки снігу, навпаки, зраділи! Малі негідниці почали ліпити сніжки та кидати їх у Маса!
Довелося йому забрати свій мед і сховатися у барлозі...

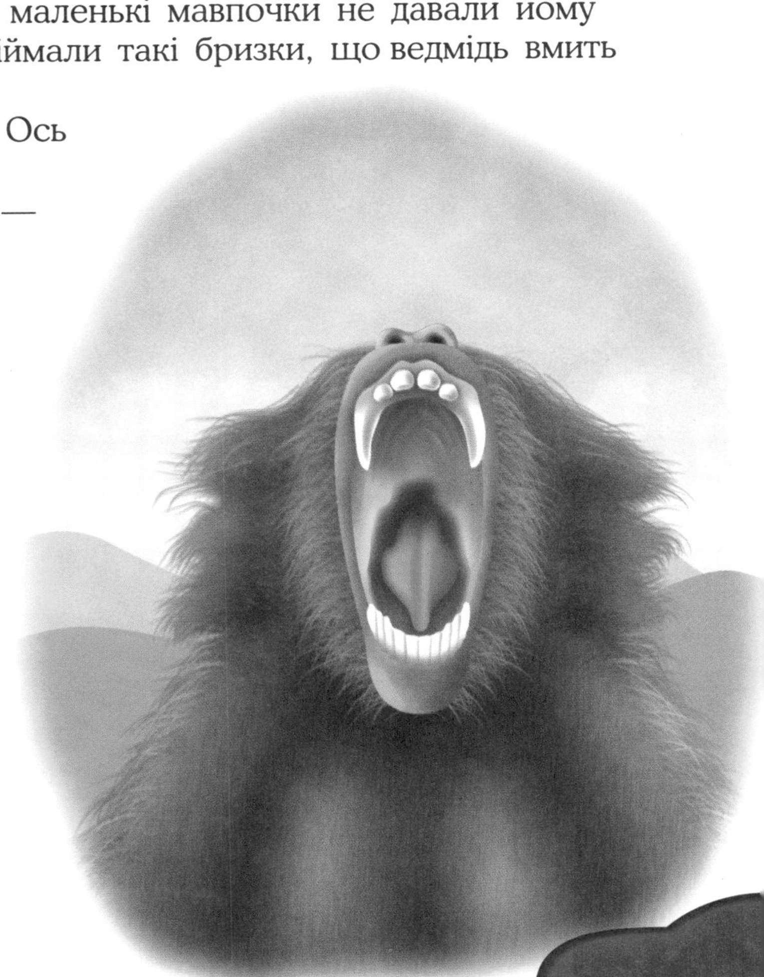

15 Вовченя Лупі

— Мамо, це несправедливо! — скаржилось вовченя Лупі. — Я так хочу гратися з іншими звірятами, а вони від мене тікають!

— Це все через твого дідуся, синку! — відповіла мама-вовчиця. — Колись він проковтнув Червону Шапочку та її бабусю, і хоча вони врятувалися, нас тепер усі бояться!

Але мама також хотіла, щоб у Лупі були друзі. Вона вирішила влаштувати вечірку на день народження вовченяти і запросити на неї усіх звірят. Вовчиця повісила оголошення на дерева:

«Завтра в Лупі день народження! Приходьте його привітати й поласувати смачними тістечками!».

Звісно, ж ніхто не міг від такого відмовитись, адже тістечка люблять усі! Звірята прийшли в гості до Лупі й від душі повеселилися! Вони переконались, що насправді вовки зовсім не злі й не страшні!

Тепер Лупі вже не був самотнім. Звірята більше його не боялись і залюбки з ним гралися.

16 Вовченя Вомба хоче до мами

Одного разу мама-вовчиця залишила свого маленького сина Вомбу в дідуся й бабусі, а сама пішла у справах. Малюк цілісінький день бавився, а ввечері засумував.

— Я хочу до мами! — пхинькав Вомба.

— Не вередуй, онучку! Ти так гарно сьогодні поводився! — попросив його дідусь.

— Але я дуже скучив за мамою! — почав плакати Вомба.

— Мама поїхала до Діда Мороза, щоб віддати йому твого листа. Почекай трохи — і вона повернеться.

— Я хочу, щоб вона повернулася зараз — мені треба їй дещо сказати.

— Можеш усе казати нам. Ми з бабусею дуже тебе любимо і зробимо усе, що попросиш, — запропонував дідусь.

Раптом у двері постукали, і Вомба кинувся відчиняти.

— Мамо! Мамо! — він стрибнув їй на руки. — Ти повернулась!

А потім прошепотів мамі на вушко:

— Я попросив у Діда Мороза велосипед, щоб частіше бувати у бабусі й дідуся. Я їх так люблю!

17 Зайці граються у піжмурки

Взимку зайці вирішили погратися в піжмурки. Зайчик Хазі мав усіх шукати. Він відвернувся до дерева й почав лічити, а решта зайців розбіглись по білому сніжку. А взимку всі зайці стають білими, тож сховатися їм дуже легко!

— Один, два, три, — рахував Хазі. — Не розбігайтесь далеко... Чотири, п'ять, я іду шукать!

Він повернувся і нікого не побачив.

— Гей, ви де?

Він зазирнув за дерево, але там нікого не було. За кущами теж анікогісінько! Хазі засмутився. Він зрозумів, що не зможе знайти своїх друзів у снігу, адже вони самі білі, як сніг!

Він так втомився, що вирішив посидіти на кучугурі снігу.

— Чомусь ця кучугура тепла! — зауважив Хазі.

Та ж він сів на Ернеста! Той підвівся, сміючись. Хазі ж почав лоскотати всі кучугури снігу і знайшов решту друзів!

Зайці весело реготали — їм сподобалося, як Хазі їх шукав у снігу!

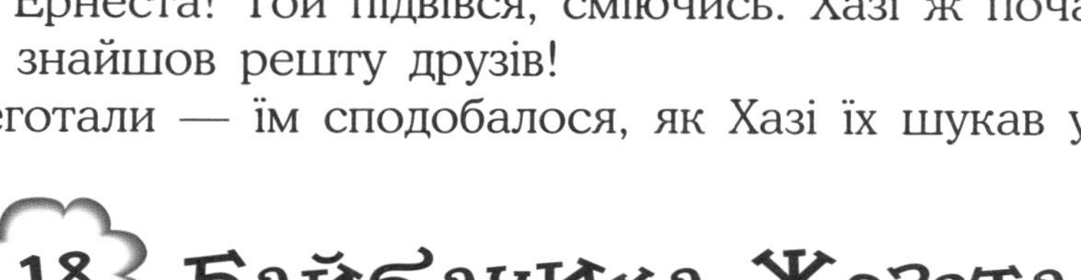

18 Байбачиха Жозета

Зазвичай байбачиха Жозета лягає спати восени, а прокидається навесні, коли вже тепло. Але одного разу вона прокинулася у грудні! Жозета вийшла з нірки і затремтіла від холоду:

— Ой, мороз! А сніг який сліпучий! Буду спати далі, — вирішила вона.

Її почув заєць Куко.

— Спати? — здивовано запитав він. — Як можна спати, якщо скоро Новий рік?

— А що це таке? — запитала Жозета.

— То ти не знаєш?! На Новий рік усі прикрашають ялинку на великій галявині, танцюють навколо неї і ласують тістечками! Це найвеселіше свято, — пояснив заєць.

— Тістечка? — перепитала Жозета. — Я їх так люблю! Гаразд, почекаю Нового року.

І байбачиха вирішила не спати, а таки дочекатися свята, а потім навесні розповісти про все своїм друзям-байбакам.

Новий рік був просто чудовим! Жозета веселилася, танцювала і наїлася тістечок донесхочу.

— Буде про що розказати друзям! — думала Жозета, засинаючи, щоб прокинутися навесні...

19 Гусяча змова

Перед Різдвом на фермі зчинився страшенний галас. Усі гуси зібралися на подвір'ї й слухали гусака Гаспара, час від часу перериваючи його схвальними вигуками.

— Тихо! Слухайте мене всі! Минулого року перед Різдвом загадково зникла найбільша гуска Сюзі! Я думаю, що її забрали, щоб приготувати різдвяну вечерю! Потрібно припинити ці знущання над нами!

— Але що робити? — занепокоїлась найтовща гуска Пері. — Мене можуть забрати першою! Я не хочу бути різдвяною гускою!

— Нехай Пері тікає звідси й десь заховається! — запропонував молодий гусак Мел.

— Чудова ідея! А ми не будемо їсти, щоб залишитись худими, — підтримав його Гаспар.

Того ж вечора Пері втекла із пташиного двору. А решта гусей відмовлялися від їжі до самого Різдва. Звісно, фермер не забрав жодної з них — хіба ж підійде худа гуска для різдвяної вечері?

20 Різдво в корівнику

Двоє биків — Пепе і Попе чекали Різдва.

— Ну, нарешті й Різдво! Це велике свято! — сказав Пепе, коли настав вечір і на небі з'явилися перші зірки. — Колись у цей день народився маленький Ісус!

Вони тихенько гомоніли, щоб не розбудити корів, аж раптом у двері корівника хтось постукав. На порозі стояла ослиця.

— Можна, я зайду в корівник? — тихо запитала вона. — У мене має народитися маля, а надворі так холодно!

— Звісно, заходь! — відповів Попе. Вони постелили в кутку свіжої соломи, і ослиця вляглася на неї. Незабаром у неї народився маленький віслючок.

— Який він гарненький! — милувався малям Пепе.

— Так, справді! — мовив Попе. — Це справжнє різдвяне диво!

Бикам так сподобався маленький віслючок, що вони запропонували його мамі залишитися в корівнику. З того часу бики, корови й ослиця з синочком жили разом, і їм було дуже затишно й весело!

21 Левиця-співачка

Поки тато-лев спав у тіні великого дерева, маленькі левенята Лео і Лія перешіптувались.
— Тато такий засмучений останнім часом! — зітхнула Лія. — І зовсім з нами не грається!
— Я також це помітив! — погодився Лео.
— Вчора він навіть із полювання повернувся ні з чим...
Левенята почали міркувати, чому ж їхній тато так дивно поводиться...
— Здається, я здогадався! — раптом вигукнув Лео.
— Учора вони з мамою сварилися через те, що вона зібралася поїхати з іншими левами виступати на концерті! Тато не хотів, щоб вона їхала!
Але левенятам дуже подобалося, як співає їхня мама, і вони хотіли, щоб вона стала справжньою зіркою. Вони вирішили, що тато обов'язково має побувати на концерті, де співатиме мама, — тоді, може, він не заперечуватиме проти її виступів.

22 Концерт

Левенята вирішили зробити так, щоб тато обов'язково потрапив на концерт.
— Татку, прокидайся швидше! — торсали його Лео і Лія. — Гепард Жеже сказав нам, що мама погано виступила на концерті. Тепер вона соромиться повертатись додому!
— Як? Чому? — пробурмотів ще сонний лев.
Раптом він схопився на лапи й наказав левенятам:
— Чекайте мене тут! Я йду за вашою мамою.
І, труснувши своєю розкішною гривою, побіг.
Але левенята не послухалися татка і чимдуж побігли за ним!
Вибігши на галявину, лев остовпів.
Концерт був у самому розпалі, і саме виступала мама-левиця. Вона так гарно співала, що лев аж заслухався. Він зрозумів, яка талановита його дружина!
Після цього лев більше не забороняв левиці виступати. Навпаки, сам ходив на всі концерти і скоро вивчив напам'ять усі пісні! Левенята ж були щасливі, що їхні тато й мама більше не сварилися!

23 Нова хатка бобра

Бобер Гектор сидів на березі річки й тяжко зітхав.
— Мені вже важко рубати дерева! Мої зуби затупилися! Колись я був найкращим будівельником на всю річку, допомагав усім бобрам, а тепер не маю сили побудувати собі нову хатку...
Його друзі це почули і вирішили зробити Гекторові подарунок:
— Давайте збудуємо для нього гарну хатку! Зробимо для нього сюрприз!
Цілу ніч молоді бобри гризли дерева і будували чудову хатку для старого Гектора.
На ранок вони геть потомились, але були дуже задоволені своєю роботою.
Вранці Гектор вийшов на берег і побачив нову хатку.
— Це подарунок для тебе! — сказали йому бобри.
Гектор був дуже задоволений! Він подякував бобрам за такий чудовий подарунок і одразу ж переселився в нову хатку. А наступного дня запросив усіх бобрів на новосілля.

24 Равлик і Дід Мороз

Равлик Бруно ніс подарунки для своїх синочків та донечок. Але він так повільно повз, що боявся не встигнути до Нового року…
— О, ні! — бідкався він. — Я не встигну, і мої дітлахи залишаться без подарунків! Лишилося так мало часу! Що ж робити?
Він намагався повзти якомога швидше, але вже й споночіло, а равлик все ще був у дорозі.
Раптом Бруно почув веселий передзвін, і біля нього зупинилися санчата. Із них вийшов сам Дід Мороз!
— Я допоможу тобі! — звернувся він до Бруно.
— І твої малята отримають подарунки вчасно!
— Ой, Діду Морозе! Я дуже тобі вдячний! — зрадів стомлений равлик.
— Тихо! Ніхто не має мене побачити чи почути! Сідай мені на руку, і я довезу тебе до твоєї хатки!
І Бруно швидко домчав додому на санчатах доброго Дідуся Мороза.
А маленькі равлики були дуже щасливі — адже вони всі отримали чудові подаруночки на Новий рік!

25 З Новим роком, Момо!

Після Нового року всі пташки вихвалялися своїми подарунками.

— Мені подарували мішечок смачного зерна! — сказав один горобець.

— А мені — два шматочка смачного хліба! — похвалився другий.

— А про мене Дід Мороз забув! — трохи не плакав горобчик Момо. — А я так чемно поводився протягом року!

Раптом на гілку сів його друг дятел. У дзьобі він тримав невеличкий пакуночок.

— Це тобі, Момо! Дід Мороз просив мене передати тобі цей подарунок! Там і лист від нього є!

Момо швиденько почав читати листа від Діда Мороза.

«Мій маленький Момо! Я дізнався твою нову адресу тільки зараз, а подарунок відправив на стару. Але, на щастя, я зустрів твого друга і попросив його допомогти. Сподіваюся, подарунок тобі сподобається! Дід Мороз».

Момо відкрив пакунок і побачив там чудовий свисток! Нарешті його мрія здійснилася — тепер він міг бути суддею на всіх лісових змаганнях!

26 Пінто-модник

Далматинцю Пінто набридло, що плями в нього тільки чорні! А оскільки він був талановитим художником, то знайшов вихід. Він узяв усі фарби, які тільки в нього були, й розфарбував себе в різноманітні кольори! Тепер він мав і червоні плями, і зелені, й сині, і жовті!

— Ну от! — задоволено вигукнув Пінто, оглянувши себе. — Так мені подобається значно більше!

А коли він вийшов погуляти у парк, усі собаки позбігалися, щоб подивитися на нього. Вони оточили Пінто і наввипередки хвалили його:

— Як гарно! Ти просто майстер! Ми теж хочемо мати такі кольорові плями!

— То ходімо до моєї майстерні! — запропонував Пінто. — Я вам допоможу!

І він цілу ніч розфарбовував усіх своїх друзів! А наступного дня все місто заполонили кольорові собаки! Ось так Пінто-модник придумав новий стиль для себе й своїх друзів. Чорно-білим бути сумно!

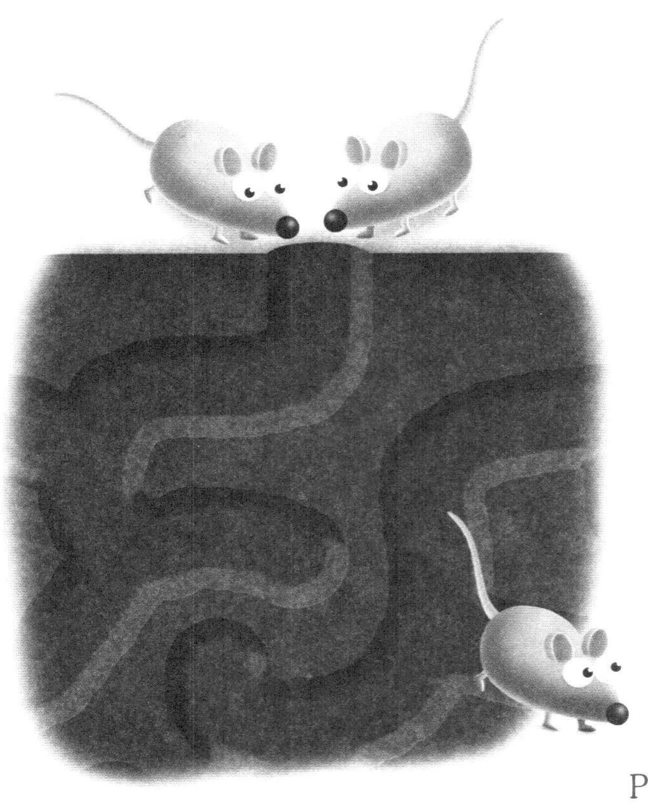

Мишка Рікі

— Мамо! Тату! — закричала мишка Рікі. — Сніг випав!

— То бери санчата і йди кататися!

— Але ж у мене немає друзів, — засмутилася Рікі. — Хто ж мене кататиме?

Тато й мама узяли санчата, посадили на них Рікі й поїхали полем. Рікі ж зовсім не трималася на санчатах, тому випала з них! Вона провалилася в якусь нірку!

Десь удалині грала весела музика. Мишка пішла коридором і потрапила до кімнатки, де було багато мишок. Усі вони танцювали і всіляко розважалися. А на столах стояли смачні наїдки і напої. То була справжня новорічна вечірка!

Рікі спочатку сором'язливо стояла біля дверей, але мишки запросили її потанцювати з ними, і вона з радістю погодилась.

Тепер у Рікі було багато друзів, і наступного дня вони каталися на санчатах усі гуртом. А ще грали в сніжки та ліпили сніговиків, щоправда, зовсім крихітних...

Свято для скунсів

Щороку скунси весело святкують Новий рік. Вони влаштовують вечірки і танцюють аж до ранку. Але часто їм заважає пугач Хук, який прилітає на вечірку і лякає всіх скунсів.

А цього року в скунса Клемента з'явилася чудова ідея, як провчити злого пугача.

— Коли хтось із вас побачить Хука, хай попередить усіх, і ми поллємо його смердючою рідиною! Він полетить геть, а ми зможемо спокійно розважатись!

— Чудова ідея, — погодились інші скунси. — Його давно вже треба було провчити!

Новорічна вечірка була в розпалі, коли один із скунсів вигукнув:

— Сюди летить Хук! Стережіться!

Хук летів просто над скунсами, які водили хоровод, і раптом на нього з усіх боків полилася смердюча рідина!

Бідолашний Хук не чекав цього! Від нього тепер так погано пахло! А скунси сміялися над ним... Довелося пугачеві летіти додому й вичищати своє пір'я.

А скунси танцювали до самого ранку, і ніхто їм більше не заважав!

29 Куди подівся Роко?

Одного холодного зимового ранку півень Роко не прокукурікав, як завжди! Більш того, його взагалі ніде не було видно!

Кури, які не змогли прокинутись вчасно, занепокоїлись. Чому їх ніхто не розбудив? Куди міг подітись Роко? Ще не було жодного ранку, щоб він не кукурікав. Мабуть, з ним щось сталось!

— Ви не бачили Роко? — стривожено запитали кури у корівок.

— Ні, не бачили, — відповіли, жуючи, корови.

Кури оббігали всю ферму — питали і в кроликів, і в свиней, і в індиків, і в гусей, але марно… Півника ніде не було, і його ніхто не бачив від учорашнього дня.

— Роко! — розпачливо гукали кури. — Де ти, Роко?

Раптом до них прибігла киця Мурка.

— Я бачила на снігу сліди! І, здається, здогадуюсь, хто то був! — сказала вона.

30 Злодій

— Я думаю, тут побувала лисиця, — сказала Мурка. — Я впізнала її сліди.

— Який жах! — вигукнула найстарша курка. — Знову починаються злочини! Пам'ятаю, минулого року в селі зникли чотири півні. То було жахливо — ми навіть боялися з курника носа висунути. Ми аж трусилися зі страху!

— Треба якомога швидше шукати Роко, — сказала Мурка. — Якщо лисиця його ще не з'їла, ми його знайдемо! Треба шукати в лісі, біля лисячої нори! Хто піде зі мною?

— Тільки не ми! — сказали корови. — Ми так тупаємо копитами, що всі нас почують.

— І не ми! — загукали індики й гуси. — Ми не дуже прудкі, тож будемо довго йти.

Киця все зрозуміла. Тварини боялися лисиці і тому вигадали собі якісь виправдання. Отже, залишилася тільки вона — доведеться самій іти на пошуки півня Роко.

31 Порятунок

Уночі Мурка тихенько прокралася до нори хитрої лисиці.
Те, що вона побачила, її вжахнуло! Зв'язаний півник лежав на тарілці, а лисиця облизувалась і збиралася ним повечеряти!
Мурка зрозуміла, що треба негайно діяти. Вона спробувала поквоктати, як курка, і в неї непогано вийшло! Вона почала квоктати голосніше, а потім заховалась за дерево.
Лисиця почула квоктання і, облишивши півника, вийшла за двері — поглянути, хто там. Не побачивши нікого біля нори, вона відійшла трохи далі, заглядаючи під кущі. В цей час Мурка заскочила всередину, розв'язала півника і вони удвох кинулись навтьоки!
— Роко, ти живий?! — зраділи всі тварини, що жили на фермі. — Ура!
— Так, Мурка врятувала мені життя! — і Роко вклонився кішці, яка зализувала подряпини.
Наступного дня півник знову голосно кукурікав, вітаючи всю громаду з Новим роком! Адже було вже перше січня!
— Кукуріку-у-у-у! З Новим роком!

Січень

Березень

Травень

Лютий

Квітень

Червень

Липень

1 Комар Піко
2 Комар Піко (продовж.)
3 Комар Піко (кін.)
4 Краби-танцюристи
5 Подарунок для лисеняти
6 Бенкет для кроликів
7 Собака Мот
8 Собака Мот (кін.)
9 Очі Лілі
10 Гієна та її подружки
11 Зіронька
12 Мишка-хитрунка
13 Морський коник
14 Морський коник (кін.)
15 Стара пантера
16 Скорпіон пустелі
17 Неслухняні вовченята
18 Окуляри для кенгуру
19 Коник Фло
20 Кумедні мавпочки
21 Чудовисько у ставку
22 Чудовисько у ставку (кін.)
23 Крокодил Луї
24 Гра в піжмурки
25 Папуги і навушники
26 Кажани
27 Так і Ні
28 Мурка і Алі
29 Курочка Коко
30 Курочка Коко (продовж.)
31 Курочка Коко (кін.)

Серпень

1 Лебідь Кліпо
2 Лебідь Кліпо (продовж.)
3 Лебідь Кліпо (кін.)
4 Бегемотиха Попо
5 Пугач вчиться літати
6 Хитра мушля
7 До роботи, Кіме!
8 Медуза Анні
9 Медуза Анні (кін.)
10 Ласка Бела
11 Цвіркун-співак
12 Лінивий лев
13 Лінивий лев (кін.)
14 Вечірка піраньї
15 Жаба і пантера
16 Кульгавий Генрі
17 Руфус-художниця
18 Велетенська бабка
19 Мано-танцівниця
20 Мавпочка Чупі
21 Розумна Мірет
22 Цікаві історії
23 Метелики на весіллі
24 Рибний ресторан
25 Рибний ресторан (кін.)
26 Нініш
27 Рибка Жоро-мандрівник
28 Перстень для полоза
29 Інь і Янь
30 Інь і Янь (продовж.)
31 Інь і Янь (кін.)

Вересень

1 Страус-боягуз
2 Хто найшвидший?
3 Продавець парфумів
4 Качка і жаби
5 Коник іде на свято
6 Рибки захворіли!
7 Корова-співачка
8 Гаспар
9 Дует
10 Цирк
11 Лелека Симон
12 Свинка Розі
13 Свинка Роз і (кін.)
14 Морський слон Тото
15 Капелюх для білочки
16 Бамбук Того
17 Вівці та міль
18 Вівці та міль (кін.)
19 Зайчик Жюстен
20 Їжачок Гратон
21 Голодні кабанчики
22 Хитрі півні
23 Танок дощу
24 Забудькуватий Фаб
25 Бідолашна Жюстіна
26 Бідолашна Жюстіна (кін.)
27 Баранці на хмаринках
28 Кріт Лу
29 Морські їжаки
30 В дорогу!

Жовтень

1 Скоро зима!
2 Кролик Жюстен
3 Прийшла весна!
4 Гра в баскетбол
5 Мишка Ніні
6 Басейн Моко
7 Майстри-бобри
8 Мисливський песик Пепе
9 Жирафи хочуть пити!
10 Павучки
11 Найкращі подруги
12 Маленький пінгвін
13 Краб і морська зірка
14 Вовк, що став собакою
15 Вовк пасе овець
16 Старий крук
17 Вередлива кізонька
18 Порятунок Тіту
19 Морозиво для Хуго
20 Зима наближається!
21 Віслючок Тіко
22 Кріт і мишка
23 Маленькі кротенята
24 День народження Бао
25 Дикий кіт Тарзан
26 Неслухняний голуб
27 Поросятко Тік
28 Черв'ячок Вік
29 Метелик і ведмедиця
30 Справжній цирк
31 Справжній цирк (кін.)

Листопад

1 Локі і верблюди
2 Подорож
3 Подорож (кін.)
4 Яйце Мані
5 Поні в цирку
6 Коли у курей виростуть зуби
7 Вуха лося Альбана
8 Індик захворів
9 Чий тато кращий
10 Порятунок
11 Поштовий голуб
12 Атракціон хом'яка Піквіка
13 Мишки Лілі і Лола
14 Папуга Коко
15 Корівки хочуть спати
16 Киця Мурка
17 Цуценя Лу
18 Слоник Поло
19 Оса і бджоли
20 Шимпанзе у скафандрі
21 Ласун Као
22 Міст із китів
23 Ляклива Пупа
24 Лист
25 Кенгуру хоче на волю
26 У гості до Діда Мороза
27 Рятувальник Валі
28 Ура!
29 Свинка Розі
30 Маленьке ягнятко

Грудень

1 Сміх кита
2 Малий Пінгві
3 Королівська мантія
4 Віслюк, який хотів стати куркою
5 Мишка і кішка
6 Подружки
7 Лола і Пулі
8 План загати
9 Північний олень
10 Рурі повернувся!
11 Конкурс для павучків
12 Хто ж переміг?
13 Салон краси
14 Ведмідь і мавпочки
15 Вовченя Лупі
16 Вовченя Вомба хоче до мами
17 Зайці граються у піжмурки
18 Байбачиха Жозета
19 Гусяча змова
20 Різдво в корівнику
21 Левиця-співачка
22 Концерт
23 Нова хатка бобра
24 Равлик і Дід Мороз
25 З Новим роком, Момо!
26 Пінто-модник
27 Мишка Рікі
28 Свято для скунсів
29 Куди подівся Роко?
30 Злодій
31 Порятунок